睦月影郎

淫ら美人教師 蘭子の秘密

実業之日本社

実業之日本社文庫

目次

第一章　新任教師の秘密

1

「こんな中途半端な時期だけど、どうかよろしくお願いします。連中の卒業までは、あと僅かなので」

校長の松岡恭助《まつおかきょうすけ》が言い、紙片を蘭子《らんこ》に渡してきた。

見ると、札付きの不良生徒の名が二人書かれている。こいつらに注意しろと言っているのだ。

二人というのはボスと腹心か。不良はもっといるのだろうが、元凶の残りは大したことないらしい。

蘭子は、黙ってメモをポケットに入れた。

「それにしても大丈夫だろうか。大学時代の先輩に頼まれたとはいえ、君のような若い女の先生で。しかも君は大学に残っていたから教師経験は無いようだし、ましてここは男子校だ」

「でも、他に担任のなり手がないのでしょう」

蘭子は恭助に言った。確か前の担任は、不良たちの暴力で入院中と聞いている。

「ああ……」

恭助が重々しく頷いたので、蘭子は彼の心の中を読んでみた。

彼の思いは取り留めもなく、とにかく不良たちが早く卒業してくれることと、その前に不祥事が起きないことを切に願っているだけだった。成績が悪くても、何とか追い出すつもりなのだろう。

そして恭助は蘭子の綺麗な裸体を想像し、不良たちにレイプされる様子も一瞬だけだが思い浮かべていた。

(綺麗な裸体……)

そう思い、蘭子は心の中で苦笑した。

当校の一、二年生は、割りに優秀な生徒が揃っている。極悪の不良は三年生、ほんの数人だけで、連中が卒業さえしてしまえば、恭助も安心して残り一年の定年が迎えられるのだろう。

大月《おおつき》蘭子は二十七歳、国語の新任教師として、ここ北関東にある私立希望ヶ丘高校へやって来た。大学院を出てからは助教をしていたが、教授に紹介され、都内のマンションを引き払ってこの土地へ来たのだ。

蘭子には親も実家もなく、この土地では教師の独身寮に入り、片付けを終えて今日赴任したのである。

「じゃ、そろそろホームルームの時間だ」

「ええ、ではよろしくお願いします」

言われて、蘭子は一礼すると校長室を出た。

校舎の階段を上がっていくと、窓から冬の山々が見えた。

駅周辺は拓《ひら》けているが、あとは野山ばかりである。

空はどんよりと厚い雲が垂れ込め、今にも雪がちらつきそうだった。

校舎は二棟。隣に並んでいるのは、物理室や化学実験室、音楽室や美術室など実技系の建物で、あとは体育館と武道場、食堂にクラブ部室に倉庫、広いグランドとテニスコートなどがあった。

一、二年生の教室のある二階と三階は割りに静かだったが、三年生のいる四階に上がると、一つの教室だけやけに騒がしかった。そこが、蘭子の担任するB組である。

引き戸を開けて教室に入ると、一瞬静かになった。

生徒は三十人余り。一部が不良たちで、残りの大半は横暴を見て見ぬふりをするか、仕方なく調子を合わせるタイプだろう。

若い女が入ってきたので、蘭子は静寂の中で黒板の前へ進み、チョークを手にして大月蘭子と大書してから生徒に向き直った。

大半は席に着いているが、一部の数人が後ろの方で車座になりタバコを吹かしていた。それが不良グループだろう。

「今日からこのクラス担任になった大月です」

見回して言うと、再びざわめきが甦ってきた。

「聞いてねえな。こんな時期に新任なんて」

「でも卒業まで楽しめそうだな。蘭子ちゃんいくつ?」

後ろの方から声がかかったが、蘭子は無視して言った。

「タバコを消して、席に着きなさい」

「ストリップしてくれたら席に着いてやるぞ」

濁声《だみごえ》を上げたのは、レスラーのように大柄でスキンヘッドの男だった。見るからにボスで、彼女はメモを思い出し、あれが梶尾真治《かじおしんじ》だろうと思った。

「おい、高田《たかだ》、脱がせてやれよ」

真治に言われて立ち上がったのが、腹心の高田宏明《ひろあき》だろう。

宏明は茶髪で痩せ形だが、歩き方で格闘技をかじっているのが分かった。

近づくと、右の拳が鍛えられているようなので空手らしい。

「じゃ、脱ぐのを手伝ってやるからな」

宏明が蘭子の前まで来て、ブラウスの胸に手を伸ばして言うと、大半の生徒は息を呑んで硬直していた。

瞬間、蘭子は宏明の頬に素早い往復ビンタを見舞っていた。

（お、往復ビンタなのに、音が一発しか聞こえなかった……）

生徒の一人が息を呑んで思い、蘭子はそちらを見た。メガネの秀才タイプが、レンズ越しに目を丸くしてこちらを見つめている。

「うわ……、な、何しやがる……」

目がくらんだ宏明が顔を真っ赤にし、激昂して摑みかかってきた。

蘭子は、その顎に猛烈な掌底。

「ぐ……!」

宏明が呻いて仰向けに倒れ、そのまま机の列の間を後ろの方まで滑って完全に昏倒していた。

「な……」

不良たちが色めき立って身を起こしたが、

「手伝ってもらわなくても自分で脱げるわ」

蘭子が上着を脱いで言うと、再び教室内は静寂に包まれた。

さらに彼女はブラウスの裾をウエストから出し、手早くボタンを外してブラウスを脱ぎ去ると、

「せ、先生、止めて下さい……!」

秀才メガネが声を震わせて言った。そんなに度胸があるようには見えないが、咄嗟に叫んでしまったのだろう。

「いいのよ、見せるのはここまで」

蘭子は彼に笑みを向けて言い、皆の方に背を向けた。ブラはそのままだが、その滑らかな背中を見て、教室中が凍り付いた。

何と蘭子の背の一面には、女神のようなタトゥーが彫られていたのである。和洋が入り混じった、まるで隠れキリシタンのマリア観音というところか。

くすんだ青を基調にし、美しく整った顔はどことなく蘭子に似て、乱れた衣からは豊満な乳房がはみ出し、周囲には百合と蘭だろうか、花々もちりばめられ、何とも壮絶な絵柄だった。

やがて蘭子はブラウスを羽織ると、手早くボタンを嵌めてから出席簿を手にして開いた。

「さあ、出席を取るので、席に着きなさい」

「いいだろう……」

言うと、真治がタバコを空き缶に押し込んで言い、ゆっくりと立ち上がった。

すると他の連中もボスに従い、毒気を抜かれたような顔つきで席に座ったのだった。左右から引き起こされた宏明も顎をさすり、徐々に我に返りながら席に着かされた。

それを確認し、蘭子が出席を取ると、みな素直に返事をした。

秀才メガネは、青井光一《あおいこういち》という名で、あとで聞くと級長らしい。

淀みなく名を呼んでいく蘭子を、光一がうっとりと見つめていた。

（ク、クールビューティ……）

光一の心の呟きを蘭子は読み取って、また心の中で苦笑した。

高校大学と、常に彼女はそのように呼ばれてきたのである。

「では、各教科の授業も、こんなふうに静かに受けなさい」

出席を取り終えると蘭子は言い、上着を持って教室を出ていった。

ブラウスの裾を直しながら蘭子が階段を下りていくと、いきなり後ろから呼び止められた。

「大月先生……」

振り返ると、先輩教師で三十歳になる古賀美雪《こがみゆき》だった。

美雪の教科は英語で、髪の長い黒縁メガネでスッピンの独身だ。服装も野暮ったいのは、不良たちに目を付けられないようにしているのだろうが、実は美形なのだと蘭子は分かっていた。

同じ独身寮なので、昨日挨拶したばかりである。

「すごいわね、背中の……」

「見ていたんですか」

蘭子はチラと美雪を見て答えた。廊下から、誰かの思念を感じたので気づいてはいたのである。

「ええ、心配で……。でも一瞬で静かにさせるなんて……、それに高田を容赦なく殴って痛快だったわ……」

美雪は一緒に階段を下りながら、興奮覚めやらぬように息を弾ませて言った。

「タトゥーのこと、黙っていて下さいね。もっとも、すぐに広まるでしょうけど」

「え、ええ、もちろん誰にも言わないわ」

美雪は激しく頷き、熱っぽい眼差しで蘭子の横顔を見つめた。

(そう、同性愛なのね……)

蘭子は美雪の心根を読んで思い、静かに二人で職員室に戻ったのだった。

2

「く……、あうう……！」

蘭子はうつ伏せで猿ぐつわを嚙まされながら、激痛に呻いていた。

高校一年生の夏休みに入ったばかりの頃だった。

背にのしかかり、処女の肌に針を入れているのは祖父の茂松《しげまつ》だ。八十近い祖父は病に伏せっていたが、今は激しい力で彼女を組み伏せていた。

茂松は、彫り茂と名乗る、業界では有名なタトゥーアーティストであった。

蘭子の両親は、彼女が中学三年生の時に事故死し、以後は祖父母と三人で暮らしていた。

そして昨年祖母が死に、茂松は病に伏せるようになっていたが、

「どうしても、お前の背に彫ってみたい。それが魂を込めた最後の仕事になるだろう……」

繰り返し、彼はそのように蘭子に懇願した。

もちろん蘭子は断り続けていたが、ある夜、急に眠くなり、気づくとうつ伏せにされ身動き出来なくなっていたのである。

茂松は、大きな座卓を裏返しにしてそこに布団を敷き、眠っている蘭子を全裸のうつ伏せにさせ、上を向いた四本の脚に彼女を縛り付けていた。

痛みに気づいたが、いつまでも頭が朦朧としていたので、何か夕食に薬物でも入っていたのだろう。

針が食い込み、墨が入れられるたび、鋭い痛みが全身を襲い、蘭子は脂汗を滲

ませてもがいた。

「おお、マリア観音になった百合子《ゆりこ》の顔が出来てゆく……」

彫りながら、茂松が呟いた。

百合子は蘭子の母の名だ。あるいは茂松は、息子の嫁に異常なまでの執着を寄せていたのかも知れない。

蘭子の父親は彫り師は継がず、ごく普通の区役所職員になっていた。母の百合子は専業主婦で、駆け落ち同然だったらしく親や親戚との付き合いはない。

恐らく茂松は、百合子の肌に彫りたいと願っていたのだろうが、休日に夫婦で出かけたとき、急な交通事故で夫婦とも呆気なく他界してしまった。

以後、茂松の狂おしい執着は百合子に似た蘭子に向けられていたのだろう。

すでに彫り師の仕事は引退していたが、最後にマリア観音を彫りたいというのが彼の強い願いだったらしい。

やがて数日かけ、蘭子の背には花々とマリア観音が彫られた。

茂松は合間に食事を運んでくれたが、蘭子は一切口にせず、たまに水だけ含んでは我が身の不幸を嘆いていた。

しかも、実の祖父からの仕打ちなのである。

排泄も、茂松が蘭子に紙オムツを当てて甲斐甲斐しく世話をしていた。

それまで伏せっていたとは思えない精力であった。

彫り物が完成して縛《いまし》めが解かれても、しばらく蘭子は痛みと発熱、ショックで起き上がれなかった。

ようやく数日ぶりに身を起こして入浴し、少しずつ食事を取るようになっていたが、洗面所の鏡で背中を見たときの衝撃は忘れられない。

鮮やかに彩られた美しいマリア観音、そして百合と蘭、もし一幅の絵で見たのならば、蘭子も魅せられていたかも知れない。

だが、それは蘭子の背中に描かれているのだ。しかも、二度と消えることのないタトゥーとして。

いっぽう茂松の方は、魂の抜け殻状態となり、再び床に就いていた。

何度も脱いで背中を見せろと言われたが、蘭子は拒み続けた。

そして、いよいよ素人目にも命の火が消えるという寸前に、蘭子は脱いで見せてやった。

「おお……、蘭子、有難う……」

茂松は嘆息し、その夜に息を引き取り、蘭子は天涯孤独の身となった。

主治医に連絡をしてから葬儀や遺品の整理、そして微熱と痛みも薄れる頃に夏休みが終わり、必死の思いで高校生活に戻った。

自分では、普通にしようと思っていたが、やはり水泳や旅行などは行かれず、いつしか人を避けるようになっていた。

一人でいるときは、ひたすら内外の文学を読み耽った。

しかし剣道部の稽古だけは続け、空手道場にも通った。鬱屈の解消法が、そうした格闘技しかなかったのである。

大学に合格したとき、祖父母の代からあった古い屋敷を売り払い都内にマンションを買った。

金に不自由はなかったので、整形手術でタトゥーを消し、まっさらな皮膚を移植することも考えたのだが、祖父の遺産として残すことにした。

それには大きな理由があったのだ。

タトゥーを彫ってから、蘭子に異変が生じたのである。

幼い頃から彼女は人の顔色を見たり、非常に勘の良いところはあったのだが、背にマリア観音を背負ってからというもの、さらにはっきり人の思念が読み取れるようになったのだ。

読み取れるのは会話し対面している人が最も容易《たやす》いが、教室のように大勢の時は混乱するし、読みたくない場合はシャットアウトも出来る。

これが研ぎ澄まされると、剣道でも空手でも相手の思惑が伝わり、蘭子はどこでも無敵となってしまった。

剣道と空手、ともに免状は三段だが、実力はそれ以上だろう。

観音の法力を得ることを観音力《かんのんりき》というが、蘭子の場合もこれに近いものかも知れない。

その力の源が背のマリア観音にあるような気がし、しかも祖父の思いと母の面影があるので、手術で消すのは忍びなかったのである。

もちろん人の心など読めず、背中もまっさらな普通の女に戻りたいという気がするときもあったのだが、今はすっかり、背中のタトゥーと共に生きていた。

高校でも大学でも、それなりに恋をしたこともあったが、やはり裸を見たときの相手の驚きが容易に想像でき、深い仲になることは一度も無かった。

だから蘭子は、二十七歳の今も処女のままであった。

それでも男女ともに、その心根を読めば快感を察することが出来、濡れてしまうこともあり、そんなときは常に自分で慰めていた。

処女とはいえペニスを模したバイブも使用するので、挿入による破瓜《はか》の痛みなどは克服し、快感だけはすっかり大人として開花していたのである。

誰かと愛し合う気はないが、性の快楽は得たい、それが今の蘭子であった。

大学でも、そして大学院から助教になっても剣道と空手は続けていた。

蘭子が世話になった教授から、希望ヶ丘高校の話が出たのは、つい最近のことである。

「私の後輩が北関東で校長をしているんだが、ほんの数人の不良に掻き回されているらしい。熱血漢の体育教師がスパルタ式に指導したようだが、闇討ちにあって入院した。行ってみないか？」

「面白そうですね」

言われて、蘭子は笑みを含んでそう答えていた。

教職課程を取って高校の国語の教員免許もあるが、都内では教師が有り余っていたのである。

「ああ、興味あるかも知れん。助教をしている君を見ていると、欲求不満が溜まっているようにしか見えん。思い切り暴れられる場所を望んでいるんじゃないかと思ってな」

毎日蘭子を見ている教授は、彼女が必死に自分を抑えて鬱屈していることを、それなりに見抜いていたのだろう。

かくして、蘭子は単身見知らぬ土地へやって来たのだった。

小さな町だが、駅のまわりには商店街や病院、市役所や警察署もあったが、少し奥の高校周辺へ来ると、手つかずの山々ばかりとなっていた。

朝のホームルームで出席を取ってから、蘭子は各学年で何クラスかの授業を受け持ったが、新米教師にしては難なく講義できたと思う。

特に冗談も言わない蘭子だが、みな静かに聞いてくれたのは、彼女が若くて美しいからだろうと、別に心根を読まなくても分かった。

他に女性教師は、三十歳になる英語の美雪と、あとは保健室の養護教諭、四十近い松宮《まつみや》小夜子《さよこ》だけだった。

美雪は殊更ダサく演じているし、英語が受験にも必要なので生徒は熱心に授業を受けているようだ。不良たちも、黒縁メガネの美雪や、オバサンの小夜子には悪戯心も起きないらしい。

だから今後、その標的は蘭子に絞られることだろう。

自分のクラスの授業も行ったが、意外に不良たちも静かにして、内容は聞いていないにしろタバコも吸わず大人しく席に着いていた。

もちろん今後とも何も起きないわけもないだろう。

特に気絶させられた宏明は、たまに蘭子を睨んでは何らかの復讐の方法を考えているに違いなかった。

クラスの生徒の成績なども見せてもらったが、一様に中の上の学力はあり、光一などは体育以外全科目がトップクラスだった。

もちろん不良グループは中の下だが、特に受験などはせず、しばらくは就職もせず地元で遊び回るのだろう。

ボスである梶尾真治の親が、商店街の反対を押し切って大手スーパーを建築中で、不良一派もそこへ雇ってもらうつもりかも知れない。

とにかく蘭子は初日の授業を終え、職員室に戻ったのだった。

「どうでした。疲れたでしょう」

隣席の美雪が蘭子に話しかけてきた。

「いいえ、大丈夫です。みんなちゃんと授業を聞いてくれたので」

「そう。でもどうか、気をつけて下さいね」

美雪が声を潜め、やはり不良たちの行動を心配しているようだった。

（蘭子先生……）

光一は、授業を受けても一日中ぼうっとしていた。心の中で呼ぶのは蘭子の名ばかりである。

3

どうやら自分は、完全に初恋を迎えたようだった。

小中学生の頃は、ひたすら勉強と読書ばかりで、外で友人と遊ぶことなど少なかった。

多少好きになった女子もいたが、どうにもシャイで告白など出来ないまま、地理的に便利だったというだけで、こんな男子校に入ってしまったのだ。

光一は十八歳になったばかり。

父親は、この町にある電機メーカー工場の技術者で、親子三人は社宅暮らしだった。しかし九州に転勤になり、社宅を引き払って母と一緒に行ってしまうと、残った光一はアパート住まいをすることにした。

やはり東京の大学を受けたいし、卒業まであと僅かの我慢だ。

どうせ上京して大学に入ったら、どこかのアパートで一人暮らしをするつもりだったから、それがほんの少し早くなっただけである。

六畳一間にキッチン、バストイレだけの部屋だが、私物も最小限なので、思っていたよりずっと快適だった。

元々親子三人での夕食などは少なく、もっぱら自室で読書ばかりしていたから誰とも話さないのは同じことだ。

校長は、希望大学に推薦してくれるというので、とっくに必死の受験勉強からは解放されていた。模試の成績も常に良いので、まず大丈夫だろう。

他の気がかりといえば不良たちに使い走りを命じられたり、金をたかられるぐらいのものだが、それも卒業まであと僅かだと自分に言い聞かせた。

あとは高校を出るまでに童貞を捨てたいと願っていたが、男子校ではとても望めない。

養護教諭の小夜子は豊満で魅惑的なオバサマだが、手ほどきをしてほしいと頼む勇気などないし、メガネの美雪も地味なようで案外な美形だから、二人の面影で何度となくオナニーに耽ったものだ。

これも、他に女性がいないから、二人を選ぶしかなかったのだろう。

そこへ、蘭子が登場したのである。

セミロングで顔立ちが整い、ブラウスの胸も形良い膨らみを持っていた。

それに何といっても、颯爽たるクールビューティである。

朝のホームルームでは度肝を抜かれたが、彼女も何度か自分と目を合わせてくれた。

授業もうっとりと聞き、背中のマリア観音を思い出しながら、気づかれないよう彼女の顔を見つめていたものだ。

彼氏はいるのだろうか。

卒業までに、蘭子に手ほどきを受けるような機会は来るのだろうか。

いや、せめて高校時代の区切りとして告白だけして、無理なら諦めて上京しようと思った。

（いや、その前に……）

光一は思った。

そう、連中がこのまま大人しくしているはずがない。

蘭子を守るためなら、大学など棒に振っても良いとさえ思えたが、一体どんなふうに守るのか想像が付かず、今ほど自分が非力で度胸がないことを呪ったことはなかった。

やがて一日の授業を終えて放課後になり、光一は帰り支度をした。

以前は文芸部に所属していたが、三年生は受験準備のためクラブ活動はしなくて良いことになっている。

推薦だから自由なのだが、ろくに読書もしない幽霊部員ばかりだから、図書館で何か借りて自宅で読書する方がマシだった。

そしてカバンを持って教室を出ようとすると、

「おい、メガネ」

いきなり宏明が声をかけてきた。

まだ両頰と顎が僅かに変色し、蘭子に殴られた痕跡を残している。ボスの真治その他の不良たちはいないので、教室にいるのは宏明だけだった。

「観音お蘭に声をかけて、校内を案内してやれ」

使い走りかと思ったが、そうではなかった。観音お蘭というのは、連中が早速付けた蘭子のニックネームらしい。

「あ、ああ……」

「体育倉庫からだ。いいな」

宏明は睨み付けながら、それだけ言うとさっさと教室を出ていった。

どうやら不良たちで打ち合わせ、何か蘭子への報復を企てているのだろう。

（ど、どうしよう……）

光一は全身を震わせながら思ったが、どちらにしろ蘭子には報せた方が良いだろう。

四階からの階段は、両端にあるので、彼は宏明が降りたのとは別の、奥にある階段に向かって駆け下りた。

息を切らして一階まで降り、職員室に向かうと、ちょうど蘭子が出てきたところだった。これから各クラブ活動でも見て回るつもりかも知れない。

「先生」

「青井君、なに、そんなに慌てて」

声をかけると、蘭子が切れ長の眼差しを彼に向けて言った。

「実は、高田たちが先生を狙ってます。僕、あいつから先生を体育倉庫に呼べって言われたもので注意しに」

胸を高鳴らせて言うと、蘭子も小さく頷いた。

「そう、有難う。でも行かないと、君が苛められそうね」

彼女は言い、そのまま玄関へ行って靴を履き替えた。

「い、行かない方がいいです。何を企んでるか分からないし」

「いいのよ。高田も殴られっぱなしじゃ治まらないでしょう」

蘭子が言って外へ出たので、光一も上履きのまま慌てて追った。

「体育倉庫は？」

「あの、体育館と武道場の間にあります」

「分かったわ。君は帰っていいから」

蘭子の落ち着き払った様子に息を呑みながらも、光一は勢い込んで言った。

「僕も行きます」

しかし彼女は答えず、そのまま足早に倉庫へと進んでゆき、光一も必死についていった。

体育館からはバレーボールをする音が聞こえ、武道場からは柔剣道が稽古する様子が伝わってきたが、割りに寂しげなのは受験態勢の三年生がおらず、一、二年生だけで練習しているからなのだろう。

その間に、体育倉庫があった。

倉庫はひっそりしているが、傍らには二台の大型バイクが停まっている。

真治と宏明のものである。

蘭子は近づき、体育倉庫のドアを無造作に開けた。

中は跳び箱やマット、体育祭で使う綱引きのロープなどが所狭しと詰め込まれていた。

すると隙間から様子を探っていたらしく、ドアの内側に隠れていた一人が蘭子の腕を摑み、奥へ引っ張り込んだ。

光一が慌てて入ろうとすると、

「てめえはいいんだよ、消えろ!」

宏明が押し返してきた。すると、奥のマットに座ってタバコを吹かしていた真治が言った。

「いいよ、そいつも入れてやれ。先公に告げ口されると面倒だ。それに童貞だろうから最後にやらしてやろうぜ」

すると宏明も光一を中に引っ張り込み、ドアを内側から閉めた。

いるのは真治と宏明、そしてもう一人、宮川勇太《みやがわゆうた》という子分の、全部で三人がいた。狭いので、他の連中は帰したのだろう。

やがて真治がタバコを消して立ち上がり、宏明と勇太が身構えたが、蘭子は落ち着いて立っている。

「おい、みんなで押さえつけろ。メガネもだ」

真治が言うと、宏明と勇太が迫った。その前に、光一は咄嗟に両手を広げて通せんぼした。

「や、やめるんだ……！」

声の震えを押さえて必死に言ったが、宏明が苦笑した。

「ガラじゃねえぜ」

言うなり、いきなり左頬を殴りつけられ、

「うわ……」

ひとたまりもなく光一はマットの上に倒れた。彼は今まで、脅されたり胸ぐらを摑まれることはあっても、本格的に殴られたのは初めてで、その痛みに頭がクラクラし、全身がすくみ上がってしまったのだった。

4

「相手を間違えないで。こっちよ」

蘭子が一歩前へ出て言い、いきなり宏明の膝頭に蹴りを見舞った。

「ウ……」

呻いて前屈みになったところへ、再び掌底。宏明はドア前まで吹っ飛んで倒れ、摑みかかろうとした勇太の水月に蹴り。相手が何を思い、どのように攻撃しようとしているか手に取るように分かるので、常に先手が打てた。

「むぐ……」

勇太はうずくまり、しばらくは立てそうもなかった。

さらに蘭子が真治に迫ると、大柄な彼は相撲のように強烈な張り手を繰り出してきた。

それを身を沈めて躱《かわ》すと、蘭子は真治の脇腹に手刀、奴が硬直したところへ金的蹴り。しかし命中させず、内腿の付け根を蹴っただけだった。

「ち、畜生……!」

よろめきながら真治が呻き、ドアにもたれかかった。股間への狙いが外れたわけではないと察したのだろう。

「こ、校長の奴、格闘技のできる教師を呼びやがったか……」

真治は言うなり、ドアを開けて外へ飛び出した。

今日のところは引き上げるらしく、倒れていた宏明と勇太も懸命に立ち上がって逃げだしていった。

間もなくバイクのエンジンが掛かり、その爆音が遠ざかっていった。

蘭子はドアを閉め、マットに倒れている光一に駆け寄ったが、彼も気を失っているわけではなく、一部始終を見ていたようだ。

「大丈夫？　青井君」

「え、ええ……、先生が無事で良かった……」

半身を抱き起こすと、彼が小さく答え、心根を読み取ると本心から蘭子の無事を喜んでいるようだった。

しかも蘭子は、彼の自分に対する熱烈な恋心も感じ取っていた。

構わず彼女は光一の顎を確認し、口を開けさせて骨も歯も損傷はないことを確認した。

「大丈夫そうね。でも少し切れているわ」

蘭子はティッシュを出し、光一の唇の端の血を拭ってやった。

「じ、自分でしますので……」

顔が近いので、光一は息を詰めて言った。女性とこんなに顔が接近するのは初めてらしく、自分の口臭でも気になるのか吸う量ばかり多くなり、今にも過呼吸を起こしそうになっている。

息がかかるほど迫っているので、彼の五感から意識まで全てが細かく蘭子に伝わってきた。

（蘭子先生、なんていい匂い……）

光一が、そう思っていた。

もちろん朝はシャワーを浴びて出てきたが、一階から四階まで何往復もしたし今も暴れたところだから汗ばんでいるのだろう。

昼食は学食で買った定食を職員室で食べ、そのあと歯磨きもしたが、多少の刺激はあるようで光一は貪るように蘭子の息を嗅いでいたが、不快ではなくむしろ果実臭系で心地よいらしい。

これだけ接近すると、相手の意識を読んだ蘭子は何やら自分の口臭チェックが出来て便利だなと思ったものだった。

忙しげな鼓動が伝わり、彼の慕情が自分のもののように感じられ、とうとう蘭子は唇を重ねてしまった。

（ウ……）

光一は激しく驚いたようだが、蘭子が唇の傷に舌を這わせると、

（ああ、癒してくれている……）

彼は硬直しながら思い、激しく勃起しはじめたようだ。

それまでは初めて殴られた衝撃と、映画のように見事な活劇に胸を高鳴らせていただけだが、接近してからようやく激しい性欲を覚えはじめたらしい。

彼が、完全な童貞であることも蘭子に伝わってきた。

だから、これが光一にとってのファーストキスなのである。その感激が伝わると、蘭子まで胸が高鳴ってしまった。

傷口ではなく本格的に舌を潜り込ませ、チロチロとからみ合わせると、

（もう死んでもいい……）

光一が思い、彼女もそれを大げさとも思わず自分の悦びとして吸収した。

そして彼は、蘭子の生温かな唾液と果実臭の吐息に高まりながら、奇妙なことを思ったのだった。

（早く、家へ帰ってオナニーしたい……）

なるほど、シャイな童貞というのは、こうした発想をするのかと蘭子は思い、唇を離して苦笑した。

「家でなく、ここでしなさい。見ていてあげるから」

「え……？」

言うと光一は、一瞬意味が分からないという表情を浮かべたが、蘭子がそっと股間にタッチすると、

「あう……」

ビクリと反応して呻いた。

「さあ、勃《た》ちすぎて痛いほど突っ張っているでしょう。外に出してあげなさい」

蘭子が言い、光一を仰向けにさせて学生服の裾をめくり、ファスナーを下げると、途中から彼は自分でベルトを外し、恐る恐る下着ごとズボンを膝まで下ろしてしまったのだった。

（ああ、見られている、蘭子先生に……）

光一の羞恥と興奮が伝わり、彼女も若い童貞のペニスに目を凝らした。ネット画像は見たことがあるが、蘭子にとっても生身を見るのは初めてである。

意外に逞しく、使用しているバイブにも匹敵する大きさだった。しかも幹は青筋が浮かび、ピンクの光沢のある亀頭がツヤツヤして実に初々しく、尿道口からは粘液が滲んでいた。

「ああ、可愛い……」

とうとう蘭子も我慢できずに言って屈み込み、そっと幹に指を添えながら、先端に舌を這わせてしまった。

「あう……、せ、先生……」

「じっとしていて」

舌を引っ込めて言うと、さらに蘭子は張り詰めた亀頭をくわえ、スッポリと喉の奥まで呑み込むと、幹を締め付けて吸い、クチュクチュと舌をからめた。

淡い汗の味がし、思春期の男子の匂いが鼻腔をくすぐった。

(ああ、信じられない……)

光一も混乱と快感の中で幹を震わせ、蘭子が顔を上下させスポスポと口で摩擦すると、

「い、いく……、アアッ……！」

彼が口走るなり、あっと思う間もなく大量の熱いザーメンがドクンドクンと勢いよくほとばしって、蘭子の喉の奥を直撃してきた。

「ンンッ……！」

光一の絶頂快感が蘭子にも伝わり、彼女は呻きながら貪るように吸い付き、執

拗に舌をからめて噴出を受け止めた。

最後の一滴まで出し切ると、光一が硬直を解いてグッタリとなり、彼女も動きを止めた。そして亀頭を含んだまま口に溜まった濃厚なザーメンをゴクリと一息に飲み干すと、

「く……」

喉が鳴ると同時に口腔がキュッと締まり、彼は駄目押しの快感に呻いた。

ようやく蘭子は口を離し、残り香の中で、なおも余りを絞るように幹をしごいて、尿道口に脹らむ白濁の雫まで丁寧に舐め取った。

嫌ではなく、むしろ彼の快感と悦びが伝わって心地よかった。

「あうう、も、もう……」

光一が腰をよじって呻き、降参するようにヒクヒクと過敏に幹を震わせた。

蘭子も舌を引っ込めて顔を上げたが、彼の快感を読み取り、自分も相当に濡れていると自覚した。

「気持ち良かった？」

「え、ええ、すごく……、溶けてしまいそうでした……」

訊くと、身を投げ出した光一は息も絶えだえになって答えた。

「じゃ初体験したいわ。もう一度勃たせなさい」

「も、もしかして、先生も……」

「ええ、処女よ。君みたいな真面目で大人しい子が大好き。それに私を守ろうと立ちはだかってくれたのだから」

言うと、光一は信じられないという眼差しで彼女を見たが、同時に大いなる悦びと期待に幹がムクムクと回復してきたではないか。

「せ、先生のも、見たい……」

光一が、精一杯の勇気を振り絞って要求してきた。

どうやらここでお互い初体験することになったが、もちろん蘭子は倉庫の周辺にも気を飛ばしているので、誰かが来ようとすればすぐに分かるのだった。

5

（か、顔に跨がって欲しい。和式トイレみたいに……）

光一が仰向けのまま強く思ったので、蘭子も立ち上がった。

（足の指も嗅いでみたい……）

さらに、そんなことまで思うので、

「こう？」

蘭子は靴を脱ぎ、パンスト越しに爪先を彼の鼻先に突き付けた。

光一も、なぜ思った通りのことをすぐ彼女がしてくれるのか不思議に思いながらも、足首を摑んで引き寄せ、汗と脂に湿って蒸れた爪先に鼻を埋め込んで嗅ぎはじめた。

（ああ、なんていい匂い……）

光一が鼻腔を満たしながら心の中で思うので、蘭子も彼の嗅覚を読み取ってみたが、こんなムレムレの匂いがどうして良いのか分からなかった。

やがて光一が鼻を離したので、蘭子も望み通り彼の顔を跨ぎ、パンストごとショーツを膝まで下ろすと、和式トイレスタイルでしゃがみ込んでいった。

「アア、恥ずかしいわ。生徒の顔にしゃがむなんて……」

蘭子もさすがに羞恥に喘いで言ったが、それ以上の興奮が彼の胸に湧き起こっていた。

（ああ、とうとう神秘の部分が目の前に……）

光一が思うので、蘭子も彼の視覚を読み取った。

蘭子のスラリと長い脚がM字になると、脹《ふく》ら脛《はぎ》や内腿がムッチリと張り詰めて量感を増し、割れ目が彼の鼻先に迫った。

（す、すごく濡れてる……、でも美しい……）

光一の視覚を通して自分の割れ目を見ると、女の自分からは単にグロだと思うのに、彼にとってはこの上なく艶めかしい眺めのようだ。

股間の丘には程よい範囲で恥毛が茂り、割れ目からはみ出した陰唇も僅かに開き、奥で息づく花弁状の膣口と、ツンと突き立った真珠色のクリトリスを彼が見上げていた。

やがて光一は蘭子の腰を抱き寄せ、柔らかな茂みに鼻を埋め込んで嗅いだ。

（いい匂い、蒸れた汗とオシッコの匂い……）

「アア、恥ずかしいわ……」

彼の想念が伝わり、蘭子は激しい羞恥快感に腰をくねらせた。

光一は悩ましい匂いで鼻腔を刺激されながら、割れ目に舌を這わせていった。

生温かなヌメリは淡い酸味を含んで舌の動きを滑らかにさせ、彼は膣口の襞をクチュクチュ掻き回し、柔肉をたどって味わいながら、ゆっくりとクリトリスまで舐め上げていった。

「アァッ……」

蘭子は激しい快感に喘ぎ、ビクリと反応した。

思わず座り込みそうになり、懸命に彼の顔の左右で両足を踏ん張ったが、やがて堪えきれずに両膝を突いた。

彼はチロチロとクリトリスを舐め回しては、新たに溢れる愛液をすすると、さらに蘭子の尻の真下に潜り込んできた。

顔中を双丘に密着させ、谷間の蕾に鼻を埋めて嗅ぐと、蒸れた匂いが彼の鼻腔を掻き回した。

（ああ、蘭子先生のお尻の穴の匂い……）

「あう、言わないで……」

思わず声で答えてしまったが、光一は気づかなかったように匂いを貪り、舌を這わせてヌルッと潜り込ませてきた。

「く……、変な気持ち……」

蘭子は違和感に呻き、キュッキュッと肛門で彼の舌先を締め付けた。

光一は滑らかな粘膜を探り、充分に舌を蠢かせてから、再び割れ目に戻って大洪水のヌメリをすすり、クリトリスに吸い付いた。

「も、もういいわ……」

すっかり高まった蘭子は言い、ビクリと股間を引き離した。

そして移動しながら下がったままのショーツとパンストを脱ぎ去り、ピンピンに元の硬さと大きさを取り戻しているペニスに屈み込んだ。

張り詰めた亀頭をしゃぶり、たっぷりと唾液に濡らすと、

「ああ……」

彼が喘ぎ、危うくなる前に蘭子も口を離した。そしてペニスに跨がり、先端に濡れた割れ目を押し当て、位置を定めると息を詰めてゆっくり腰を沈み込ませていった。

張り詰めた亀頭が潜り込むと、あとは潤いと重みでヌルヌルッと根元まで受け入れていった。

「あう……、いい……」

蘭子は完全に股間を密着させて座り込み、バイブとは違う感触と快感に呻き、味わうように締め付けた。やはり血の通ったペニスは格別で、すぐにも果てそうなほど彼女も高まってきた。

（ああ、とうとう女性と一つに……）

光一は感激の中で思い、温もりと感触を味わっていた。

もしさっき口内発射していなかったら、挿入の感覚だけであっという間に暴発していたことだろう。

(左右でなく、上下に締まるんだ……)

彼は興奮の中、大発見のように思っていた。やはり陰唇を左右に広げるので、膣内も左右に締まると思っていたらしい。

蘭子は何度か股間をグリグリと動かしてから、彼に身を重ねていった。

光一も下から両手でしがみつき、無意識に両膝を立てて尻を支えた。その方が密着感が高まるのだろう。

彼女も光一の肩に腕を回し、体の前面を密着させた。

「ね、オッパイ吸いたい……」

「今日はダメ、落ち着いた場所でゆっくり」

「じゃ、またしていいんですね……」

勇気を出して言ったのに断られたものの、次回への期待に彼の胸が歓喜に満たされた。

やがて蘭子は徐々に腰を突き動かしはじめ、彼も摩擦快感に包まれながら、合わせるようにズンズンと股間を突き上げはじめた。

「アア、いい気持ちだわ……」

蘭子が喘ぎ、収縮と潤いを増していった。

処女なのに最初から感じていることを怪訝に思わず、光一も次第に夢中になって動き続けた。

彼の高まりと快感が伝わってくるので、蘭子も急激に絶頂を迫らせていった。

光一が下から唇を求めるので、彼女も上からピッタリと重ね合わせ、ネットリと舌をからめた。

（いっぱい唾が飲みたい……）

光一が思ったので、蘭子も喘ぎ続けて乾き気味の口中に懸命に唾液を分泌させ、トロトロと口移しに注ぎ込んでやった。

彼は小泡の多い唾液を味わい、うっとりと喉を潤して酔いしれた。

（ああ、この世で一番清らかな液体……）

光一は、蘭子の息で鼻腔を湿らせながら思い、激しく感激してくれることに彼女も高まった。

いつしか互いに股間をぶつけ合うほどリズミカルに動きが一致し、クチュクチュと淫らに湿った摩擦音が響いてきた。溢れる愛液が彼の陰嚢の脇を伝い流れ、肛門の方まで生温かく濡らしている。

たちまち光一も、二度目の限界に達したようだ。

「い、いく……、アァッ……！」

光一が口走ると同時に、蘭子の奥深い部分をありったけの熱いザーメンが直撃した。

「ヒッ……、す、すごいわ……！」

噴出を感じた途端、蘭子も息を呑んでオルガスムスに達し、あまりに激しい快感にガクガクと狂おしく全身を痙攣させた。

やはりバイブは射精しないので、ザーメンのほとばしりが絶頂のスイッチを入れたのだろう。しかも男女両方の快感を同時に味わい、蘭子も最高の絶頂を味わうことが出来たのだった。

光一も快感を嚙み締めながら、心置きなく最後の一滴まで出し尽くすと、すっかり満足したように肌の硬直を解き、グッタリと力を抜いていった。

「アア……」

蘭子も満足げに声を洩らし、遠慮なく彼に体重を預けてもたれかかった。

互いの動きが完全に停まっても、まだ膣内が名残惜しげにキュッキュッと締まり、その刺激で過敏になったペニスがヒクヒクと中で跳ね上がった。

「あう、まだ動いてるわ……」

蘭子も敏感になって呻き、幹の震えを押さえるようにキュッと締め上げた。

光一は彼女の重みと温もりを受け止め、果実臭の息を嗅いで胸を満たしながら、うっとりと余韻を味わっているようだった。

そして呼吸を整えながら、光一がぽつりと言った。

「もしかして、先生は、テレパス……？」

「え……、そ、そうよ……」

蘭子も答え、初めて自分の秘密を人に打ち明けたのだった。

第二章　巨乳熟女の匂い

1

「何だか、心で思うと先生に伝わるようで、それに先生の気持ちも僕の中に流れ込む気がしたんです」

身繕いをしながら、光一は蘭子に言った。

「そう、もしかしたら初めて情を通じた相手に、観音力が伝わるのかも」

「かんのんりき……？」

光一は答え、やがて互いに服を着終わると蘭子も髪を整えた。

そして外の様子を窺いながら、二人で体育倉庫を出たが、周囲には誰もいなかった。

「一応、消毒してもらうといいわ」

蘭子が言い、校舎に入って光一と一緒に保健室に行ってくれた。

二人で中に入ると、養護教諭の松宮小夜子が帰り支度をして白衣を脱ごうとしていたところだ。

「まあ、どうしたの？」

小夜子が彼の唇の傷を見て言い、椅子に座らせた。

「殴られたのね。校長先生に言う？」

「いえ、大したことないので」

光一は答えた。何しろ殴られたことにより、その何倍も良いことがあったのである。

小夜子は傷に消毒薬を塗り、絆創膏を貼ってくれた。

彼女は主婦で三人の子持ち、駅近くに家があり、夫も他校の物理教師である。

近づくと甘ったるい匂いが感じられ、同時に小夜子の頭の中の思いが、光一に伝わってきた。

（ああ、こんな可愛い男の子を食べたい。この新任教師さえいなければ……）

観音力で小夜子の想念を克明に読み取り、光一は驚いて目を上げ、付き添ってくれている蘭子を見上げた。

すると蘭子も、小夜子の思いを読み取ったように目を丸くしている。

（勇気を持ってお願いすれば、もっと早くに初体験できたのね）

蘭子が、苦笑しながら心の中で彼に語りかけてくる。

（じゃ私は帰るから、小夜子先生にしてもらう？）

（い、いえ、今日は蘭子先生の余韻の中で眠りたいので……）

彼は答えた。何しろ今朝会ったばかりの蘭子とファーストキスをし、さらに口内発射からセックス初体験までしたのだから、蘭子への思いだけで胸がいっぱいである。

しかも、観音力という神秘の能力まで蘭子にもらったのだ。

（そう、じゃ明日にでもしてもらうといいわ。より多くの女性と体験して、うんと上手になってからまた私としましょう）

（い、いいんですか……）

光一は蘭子に言われ、自分が他の女性とすることに嫉妬してくれないのを不満に思った。

（嫉妬はしないわ。より多くの相手を知ることが成長になるから）

（じゃ先生も、気が向けば他の男と……？）

（私は今のところ君だけで充分）

それを聞き、光一は安心した。それにしても蘭子は自分だけで、光一は誰とでもして良いとは、何と恵まれたことだろう。

「さあ、いいわ。すぐ治るでしょう」

小夜子が処置を終えて言い、光一は立ち上がった。

「有難うございました」

「ええ、じゃ気を付けて帰りなさい」

言われて一礼し、光一は蘭子と一緒に保健室を出た。

「じゃ私は部活を見て回るから」

「はい、じゃ僕は帰ります。また明日」

光一は言い、いったんカバンを取りに教室へ戻った。そして下校して、胸がいっぱいのままアパートに帰った。

（夢じゃないんだろうな……）

帰宅した光一は思い、夕食の仕度もせずぼんやり座って蘭子のことばかり頭に浮かべた。夕食といっても、いつもレトルトライスに総菜をレンジでチンするだけである。

ようやく夕食にしてテレビを点けたが、やはり思うのは蘭子のことだけだ。

今夜、彼女とあったことを一つ一つ思い出しながらオナニーしたいところだったが、明日も良いことがありそうなので我慢することにした。

早めにベッドに入ると、興奮で眠れないかとも思ったが、やはりそれなりに疲れていたようで、光一はぐっすりと寝られたのだった。

翌朝、いつもの時間に起き、光一は朝食を済ませると習慣になっているシャワーを浴びてから学生服に着替えて登校した。

四階の教室に行くと、間もなくホームルームで蘭子も入ってきたが、真治と宏明、勇太の三人は来ていなかった。他の数人の不良も大人しくしているので、何らかの連絡は受けているのかも知れない。

もちろんこれで済むわけもないが、光一は蘭子の顔を眩しい思いで見つめた。

(この綺麗な先生とキスして、口内発射してアソコを舐めて、念願の初体験をしたんだ……)

そう思うと股間がムズムズしてきてしまったが、蘭子に心を読まれることを恐れ、慌てて妄想をシャットアウトした。

しかし蘭子も、多くの生徒を前にしているので、光一個人の思念だけ読み取ることは出来ないようで、落ち着いて出席を取った。

そして卒業までの注意事項をいくつか言い、やがて蘭子は教室を出ていった。

もう三学期で、授業も一月の今月いっぱい。来月から三年生は受験態勢のため二月いっぱい自由登校で、あとは卒業式を待つばかりとなる。

月末に全教科の学年末テストがあるが、それは形ばかりのもので、もう成績には影響しない。

一時限目はメガネ美女、美雪の英語で、光一も真面目に授業を受けた。数人の不良たちも静かにしていて、やはり真治や宏明がいないと他の生徒たちもリラックスしているようだった。

距離があると、美雪の心も読み取れなかった。

やはり二人きりで、触れ合うほど接近しないと無理なのだろう。

それでも美雪が綺麗な声で英文を朗読しながら、机の間を移動し、光一に近づいたときは心根を垣間見ることが出来た。

美雪の心の中は、何とマリア観音のタトゥーで満たされ、時に英文にも集中できないほど蘭子のことで一杯だったのである。

（美雪先生は、レズ……？　蘭子先生に魅せられているのか……）

光一は驚きながら、美雪の今までのレズ体験の感覚を断片的に読み取って勃起した。もちろん男性体験もあるようだが、大部分は同性との思い出ばかりのようである。

やがて英語の授業が終わり、二時限目は蘭子の国語。

距離があるので蘭子の心は読めないが、どちらにしろ今は講義に集中しているだろう。

しかし蘭子は以前から観音力を持っていたので、急に与えられた光一の能力を遥かに上回っているだろうから、淫らな思いを読まれないよう彼も授業に集中したのだった。

そして三、四時限目は体育だったので、光一はサボることにした。

何しろ体育教師が入院中で自習だから出席は取らないし、生徒は思い思いにサッカーをするだけだから、彼一人ぐらいいなくても構わないだろう。

体育教師は夜に居酒屋で飲んだ帰りに数人から闇討ちされ、脳震盪に腕や肩の骨折で重症。

誰もが真治グループの仕業と思っているが、全員が目出し帽だったから証拠がなく、警察も町の酔っ払いとの喧嘩として処理してしまったらしい。

とにかく、光一は一人で保健室に行った。

放課後だと運動部で怪我をした生徒が来るかも知れないが、昼前の授業中なら邪魔は入らないだろう。クラスの連中も受験前の遊びでするサッカーなら、まず怪我をするほど熱中するわけがない。

「まあ、青井君。その後どう?」

小夜子が言い、彼を椅子に座らせ、甲斐甲斐しく唇の傷を見てくれた。

絆創膏は昨夜剝がし、今朝もシャワーのあと見てみたが、もうほとんど傷は目立たなくなっている。

「もう大丈夫なようね」

ことさらに顔を寄せて小夜子が言うと、湿り気ある吐息が感じられた。それは白粉のように甘い刺激が含まれ、さらに甘ったるい体臭も混じって鼻腔が掻き回された。

心の中を読み取ってみると、

(この子としたい……!)

強烈で激しい欲望が充ち満ちていた。

しかも言葉でなく、様々な感情の渦が光一の頭に侵入してきた。

三人目の子を生んで二ヶ月、すでに夫とは、三人目の妊娠中から一切の性交渉がなくなっていたようだ。

「もう消毒はいいわね」

「ええ」

「授業は？」

「体育なのでサボりました。お昼まで横になっててていいですか？」

ムクムクと勃起しながら言うと、小夜子も勢いよく立ち上がり、奥のベッドルームへ一緒に来てくれたのだった。

2

「構わないわ。ゆっくり休みなさい」

彼女は言い、光一が学生服を脱ぐのを手伝ってくれた。

ベッドルームは保健室の奥にあるし、衝立もあるので誰かがいきなり入ってきても死角になっている。物音がしてから布団でも掛ければ、充分に隠せることだろう。

「ズボンも脱いじゃいなさい」

小夜子が、色白の頬を上気させて言うので、彼も素直に脱ぎ去ってしまった。

あとはワイシャツとパンツ、靴下だけである。

すると彼女は、テントを張っている股間を見た。

「まあ、すごい勃ってる……、どうして……」

「い、いえ、先生がそばにいると何だかモヤモヤしてしまって……」

モジモジしながら言うと、小夜子は彼をベッドに横たえた。

「ね、見せて。ちゃんと洗ってあるか確認しないと」

彼女は息を弾ませて言い、心根を読むと後戻りできないほどの興奮と混乱に包まれていた。

腰を浮かせるとパンツが脱がされ、ピンピンに突き立ったペニスがバネ仕掛けのようにぶるんと天を衝いた。

「すごい、立派だわ。綺麗な色……」

小夜子は言い、熱い視線を注いで息がかかるほど顔を迫らせてきた。

「ああ、恥ずかしい……」

光一は股間に美熟女の無遠慮な眼差しと息を感じ、ヒクヒク幹を震わせながら喘いだ。

「オナニーは、どれぐらいの頻度で？」

「日に、二回か三回です……」

「そんなに？　もちろん童貞よね？」

「え、ええ……」

彼は無垢のふりをして頷いた。何しろ男子校だし、光一は見るからに真面目で大人しいタイプだ。まして昨日赴任したばかりの蘭子と何かあったなど、小夜子は夢にも思っていないだろう。

「少しだけ触るわね……」

小夜子が言い、幹に触れ、張り詰めた亀頭を撫でた。

「ちゃんと剝けているわ。清潔にしているのね」

「あ、朝シャワーしてきたので……」

光一は、指先の感触に激しく胸を高鳴らせて答えた。

もっと早く、ここへ来て求めれば初体験もずいぶん早めに済んだことだろう。

それでも光一は、蘭子との初体験が何より最高だったと思っているし、蘭子との出会いがなければ、今日このときめきも得られなかったに違いない。

小夜子は陰嚢にも指を這わせ、二つの睾丸を転がし、袋をつまみ上げて肛門の方まで覗き込んできた。

やはり一応診察めいた素振りを見せているが、その心の中は、

(もう我慢できないわ……)

激しい興奮に限界が近づいていた。

「先っぽが濡れてきたわ。ね、こんなに勃ってしまったら、一度出さないと落ち着かないでしょう。私が手伝ってもいい？　誰にも内緒で」

小夜子が再び幹をいじりながら、囁くように熱っぽく言った。

「え、ええ……」

彼が頷くと、とうとう小夜子は屈み込んで舌を伸ばし、粘液の滲む尿道口をチロチロと舐めはじめたのである。

「あう……」

光一は快感に呻き、クネクネと腰をよじらせた。

小夜子も、いったん舐めてしまうと、もう勢いがついたように熱い息を股間に

籠もらせ、張り詰めた亀頭にもしゃぶり付いてきた。

そのままスッポリと喉の奥まで呑み込み、上気した頰をすぼめて吸い付くと笑窪が浮かんだ。口の中ではクチュクチュと満遍なく舌がからみつき、たちまち彼自身は生温かな唾液にどっぷりと浸った。

「い、いきそう……」

光一が懸命に暴発を堪えて言うと、

「いいのよ。私のお口に出しちゃいなさい」

小夜子がいったん口を離して言った。

「ま、まだ勿体ないので、小夜子先生のも見てみたい……」

思いきって言うと、彼女も完全に顔を上げた。

「そう、見たいのね。いいわ……」

小夜子が意を決したように言って身を起こすと、白衣のボタンを外して左右に開いた。

さらにブラウスのボタンも外してから、裾をめくってショーツを脱ぎ去ってしまった。彼女はストッキングではなくソックスだ。

脱いだものを椅子に置いたが、さすがに全裸にはならず、いつでも白衣を閉じられるようにしながら、ブラのフロントホックも外し、何とも豊かな巨乳を露わにした。

小夜子が添い寝してきたので、光一がメガネを外して巨乳に顔を迫らせると、彼女は優しく腕枕してくれた。

「アア、なんて可愛い……」

小夜子が感極まったように光一の顔を胸に抱きすくめ、彼は乳首に吸い付きながら顔中を搗きたての餅のような膨らみに埋め込んだ。

「むぐ……」

彼は心地よい窒息感に呻き、夢中で舌を這わせた。すると舌を薄甘い液体が濡らしてきたので、見ると、もう片方の乳首にポツンと白濁の雫が浮かんでいるではないか。

（ぼ、母乳……）

光一は驚きと感激で、さらに強く吸い付いては生ぬるい母乳で喉を潤した。

そういえばフロントホックのブラの内側に何か当てられていたが、それは乳漏れパッドだったようだ。

今まで小夜子に近づくたび感じていた甘ったるい匂いも、汗や体臭ではなく母乳の成分だったのだろう。

光一は充分に吸い付いて味わい、顔中で豊かな膨らみを堪能してから、もう片方の乳首にも吸い付き、新鮮な母乳を味わい、甘ったるい匂いで胸を満たした。

「アア、飲んでくれているの……？」

小夜子はクネクネと熟れ肌を悶えさせて喘ぎ、仰向けの受け身体勢になっていった。

彼ものしかかり、左右の乳首を交互に含んで舐め回し、滲む母乳を味わった。

そして乱れた白衣とブラウスの中に潜り込み、腋の下にも鼻を埋め込んでいくと、何とそこには色っぽい腋毛が煙っているではないか。

どうやら三人目の出産後はろくにケアもせず、逞しい主婦として自然のままにしているようだ。

光一は新鮮な悦びに満たされながら、恥毛の感触を思わせる腋毛に鼻を擦りつけて嗅いだ。隅々には生ぬるく甘ったるい汗の匂いが濃厚に沁み付き、悩ましく鼻腔が刺激された。

「アア、汗臭いでしょう……、私は朝シャワーしていないから……」

小夜子が身悶えながら喘いだが、拒まずされるままになっていた。

もし誰かが来たら急いで取り繕えるだろうかと心配になったが、やがて光一は匂いを味わい尽くし、身を起こして移動した。

彼女の足の方に顔を寄せ、両のソックスを脱がせて素足の裏に顔を押し付けていった。

踵から土踏まずを舐め、足指の間に鼻を割り込ませて嗅ぐと、そこは生ぬるい汗と脂にジットリ湿り、蒸れた匂いが濃く沁み付いていた。

（ああ、女性の足の匂い……）

光一は鼻腔を刺激されながら思い、爪先にしゃぶり付いて指の股に舌を挿し入れて味わった。

「あう、ダメ、そんなとこ、汚いのに……」

小夜子が驚いたように呻き、ビクリと反応したが力が抜け、拒む力も出ないようだった。

彼は両足ともしゃぶり尽くし、全ての味と匂いを貪った。

そして股を開かせ脚の内側を舐め上げていくと、脛にもまばらな体毛があり、これも自然のままの魅力があり、何やら昭和の女性を相手にしているような気になったものだ。

やがて白くムッチリと量感のある内腿を舐め上げ、熱気と湿り気の籠もる股間に迫った。

見るとふっくらした丘には黒々と艶のある恥毛が密集し、肉づきが良く丸みを帯びた割れ目からはみ出す陰唇は、ネットリと大量の愛液に潤っていた。

興奮に震える指を当て、陰唇を左右に広げてみると中身が丸見えになった。

ピンクの柔肉はヌメヌメと愛液に濡れ、妖しく息づく膣口からは母乳に似て白濁した本気汁が滲み出ていた。

ポツンとした小さな尿道口も確認でき、包皮を押し上げるようにツンと突き立ったクリトリスは、小指の先ほどの大きさがあって光沢を放っていた。

やはり蘭子の割れ目とは微妙に違い、みな違うものだと彼は思った。

3

「アア、そんなに見ないで……」

彼の熱い視線と息を感じた小夜子が喘ぎ、ヒクヒクと柔肉を蠢かせた。

もう我慢できず、光一は吸い寄せられるように顔を埋め込んだ。

柔らかな恥毛に鼻を擦りつけ、隅々に籠もった熱気を嗅ぐと、やはり甘ったるい汗の匂いと、ほのかな残尿臭の刺激も混じって鼻腔を掻き回してきた。

胸を満たしながら舌を這わせ、膣口の襞を探ると、味はあまりなかった。

クリトリスまで舐め上げていくと、

「あう、いい気持ち……！」

小夜子が呻き、キュッときつく内腿で彼の両頬を挟み付けてきた。

光一もチロチロと舌先で弾くようにクリトリスを刺激しては、新たに溢れる愛液をすすった。

さらに彼女の両脚を浮かせ、白く豊満な逆ハート型の尻に迫った。

谷間の蕾は、出産で息んだ名残だろうか、レモンの先のように突き出た艶めかしい形をしていた。

双丘に顔中を密着させて谷間に鼻を埋め、蕾に籠もる蒸れた匂いを嗅いでから舌を這わせてヌルッと潜り込ませた。

「く……、ダメ……」

小夜子が呻き、モグモグと肛門で舌先を締め付けてきた。

光一は、滑らかで淡く甘苦い粘膜を舐め回し、充分に味わってから脚を下ろして再び割れ目に戻ってクリトリスに吸い付いた。

「お、お願いよ、入れて……」

小夜子が腰をくねらせて言い、光一も身を起こして股間を進めた。

急角度にそそり立った幹に指を添えて下向きにさせ、先端を割れ目に擦り付けてヌメリを与えながら位置を探った。

「もう少し下、そう、そこよ、来て……」

小夜子も言い、僅かに腰を浮かせて誘導してくれた。

グイッと彼が股間を押しつけると、張り詰めた亀頭がヌルヌルッと根元まで吸い込まれていった。

「アア……、すごい……」

小夜子が顔を仰け反らせて喘ぎ、若いペニスを味わうようにキュッキュッと締め付けてきた。

光一も、初めての正常位の感触と温もりを味わい、身を重ねていった。

すると小夜子も下から激しくしがみつき、待ち切れないようにズンズンと股間を突き上げてきた。

「つ、突いて、強く何度も奥まで……」

小夜子がせがみ、彼が腰を動かしはじめると、そのリズム以上に強く股間が突き上げられるので、途中でペニスがヌルッと引き抜けてしまった。

「あう、ダメよ、落ち着いて……」

「せ、先生が上になって下さい」

小夜子が不満げに言い、光一が言うと、すぐにも彼女が身を起こしてきた。入れ替わりに仰向けになると、溢れた愛液がシーツに沁み込んで腰がひんやりした。

すぐにも小夜子が跨がり、先端に割れ目を押し当てて腰を沈めると、彼自身は再びヌルヌルッと滑らかに根元まで嵌まり込んでいった。

「アア、いい、奥まで響くわ……」

小夜子が完全に座り込み、顔を仰け反らせて喘ぐと、母乳の滲んだ巨乳が艶めかしく揺れた。

小夜子が身を重ねてきたので、彼も両手を回して抱き留め、両膝を立てて豊満な尻を支えた。再び彼女が、股間を擦り付けるように動かしはじめたが、もう彼の腰が仰向けで安定しているので、少々突き上げても抜けるようなことはないだろう。

「ね、またミルク飲みたい……」

言うと小夜子も胸を突き出し、自ら両の乳首を摘んでくれた。

すると白濁の母乳がポタポタと滴り、彼は舌に受けて味わった。さらに無数の乳腺から霧状になった母乳が顔中に生ぬるく降りかかり、彼は甘ったるい匂いに包まれた。

あらかた飲み尽くすと、母乳の出も悪くなり、心なしか巨乳の張りが和らいできたようだ。

「ああ、いきそうよ……」

小夜子が言い、上からピッタリと唇を重ねてきた。

思えば、互いの股間を舐め尽くしてから、最後の最後でキスするというのも妙なものだった。

舌が潜り込んだので、彼もネットリと舌をからめ、美熟女の息で鼻腔を湿らせながら生温かな唾液を味わった。

股間を突き上げるうち次第に互いの動きがリズミカルに一致し、彼は肉襞の摩擦と締め付け、温もりと潤いの中で急激に絶頂を迫らせた。動きに合わせてピチャクチャと淫らに湿った摩擦音が聞こえ、互いの股間が大量の愛液でビショビシヨになった。

高まりながら彼女の心を覗いてみると、もう快感のみで何も考えられず、ただ若い男を貪っているだけだった。

しかし収縮と潤いが増し、

「い、いっちゃう……、アアーッ……！」

小夜子が声を上ずらせ、ガクガクと狂おしい痙攣を起こしたかと思うと、あまりに激しい快感の嵐が彼に流れ込んできた。

「く……！」

光一は呻き、慌てて美熟女のオルガスムスを無意識にシャットアウトした。

さすがに大きすぎる快感は、男が味わうものではないと、本能的に拒んだのだろう。

同時に彼も、収縮に巻き込まれるように昇り詰めてしまった。

「あう、気持ちいい……！」

光一は大きな絶頂の快感に呻きながら股間を突き上げ、ドクンドクンと熱い大量のザーメンを勢いよくほとばしらせた。

「あ、熱いわ、もっと出して……！」

奥に噴出を感じた小夜子が、駄目押しの快感を得て口走り、さらに締め付けを強めていった。

彼は心ゆくまで快感を噛み締め、最後の一滴まで出し尽くしていった。

すっかり満足しながら徐々に動きを弱めていくと、

「アア……」

小夜子も満足げに声を洩らし、熟れ肌の硬直を解きながらグッタリともたれかかってきた。

光一は、重みと温もりを受け止め、やがて完全に突き上げを止めた。

まだ膣内は名残惜しげな収縮が繰り返され、刺激された幹がヒクヒクと内部で過敏に跳ね上がった。

そして彼は熱く喘ぐ小夜子の口に鼻を押し込み、濃厚な白粉臭の吐息で鼻腔を刺激されながら、うっとりと余韻を味わったのだった。

小夜子の心の中を覗くと、

（ああ、とうとう生徒としちゃったわ……）

まだくすぶる激しい快感とともに彼女は思い、もちろん後悔している様子は全く見受けられなかった。

重なったまま呼吸を整え、やがて彼女はティッシュを出して身を起こし、股間を引き離しながら割れ目にティッシュを当てた。

ベッドを降りると急いで彼に布団を掛け、先に自分だけ身繕いをした。割れ目を拭ってからショーツとソックスをはき、ブラを整えてブラウスと白衣のボタンを嵌めた。

そして髪を直すと、これでいつ誰が来ても一安心といった感じだ。

光一も布団を剝ぐとティッシュを取って自分でペニスを拭い、身を起こして下着とズボンをはいた。

「校内って、すごいスリルね……」

「ええ、今度は僕のアパートにしましょう」

彼が学生服を着て、メガネをかけながら言うと、

「本当？　またしていいのね……」

小夜子が目をキラキラさせて嬉しげに答えた。

どうやら完全に火が点いてしまったようで、当分はこの美熟女を堪能できると光一は思った。

小夜子の心根を読んだが、やはり観音力は移っていないようだ。この能力は、

蘭子が初めて交わった相手にのみ与えられるもので、もらった光一が他の人に移すことはないらしい。

そろそろ四時限目も後半の頃合いなので、学食も開いているだろう。

「顔を洗いなさい。顔中母乳でヌルヌルよ」

小夜子が言い、布団を整えたので、彼も保健室内にある流しで顔を洗い、ハンカチで拭った。

「じゃ行きますね」

「ええ、車で送るので、今度是非一緒に帰りましょうね」

小夜子が約束よというふうに熱く念を押し、光一も一礼して保健室を出たのだった。

そして学食へ行って、少し早めの昼食でカレーライスを食べ、昨日に続き二人目の女体を味わったことを幸福感の中で思ったのだった。

次に蘭子と顔を合わせたら、一瞬で見抜かれてしまうだろうが、きっと彼女も光一が経験を積んだことを納得してくれるだろうと思った。

4

（誰かいる。梶尾か高田か……）

すっかり暗くなった帰り道、蘭子は下校して独身寮へ向かいながら思った。

今日は、剣道部の稽古を少し見ていたので遅くなったのだ。三年生はいないので、みなせいぜい初段、レベルは中ぐらいといったところだった。

独身寮までは徒歩十分ばかり、周囲に人家もない下りの山道、たまに街灯はあるが大部分は鬱蒼たる林が左右に広がっていた。

教員たちは車、生徒たちは自転車通学で、ほとんどは下校したあとだから他に通る人もいない。

すると暗がりから一人の男が姿を現した。

高田宏明で、学生服ではなく私服である。

「一人？」

「ああ、梶尾がいると順番待ちになるからな、俺一人で充分だ」

訊くと、宏明が緊張に頬を強ばらせて言った。自分も空手をやっているのに、何度も掌底で昏倒させられているのが我慢ならないのだろう。

「ここでやる？　まだ職員が残っているから車が通るわ」

「こっちだ」

宏明は言い、脇道へ入っていった。

蘭子が従うと、間もなく拓けた場所になり、入り口に希望ケ丘公園と書かれた広場に出た。

遊具はないが、奥にベンチがあり、市街の灯りも見え、なかなか景色の良い場所だった。

他に誰もおらず、本当に一人だけのようだ。

ベンチには宏明のものらしいスマホが立てかけられているので、彼の心を読むまでもなく、すでに動画の撮影が行われているようだ。

この場で蘭子を犯し、あとであられもない姿をネタに強請《ゆす》ろうとでもいうのだろう。

宏明がブルゾンを脱いでベンチに置くと、下はシャツにジーンズ、ベルトには樫のヌンチャクが挟まっていた。

宏明は、その得物《えもの》を抜き取って構えた。

「素手じゃ敵わないと思って、そんなものを用意したの。そう、そのヌンチャクで体育教師の肩を砕いたのね」

「なに……」

図星を指され、宏明が硬直した。

「最初に君を見たときは歩き方が様になっていたので、少々使えると思ったのだけど、結局基礎の途中で投げ出したのね。まだ初段どころか級も取れず、そんな得物を一人で練習していただけでしょう」

「だ、黙れ、いくぞ……！」

宏明は、蘭子の落ち着きぶりに苛立つように怒鳴り、ヌンチャクを構えてフェイントをかけてきた。

「あんまり動くと、動画の範囲から出てしまうわよ」

蘭子は言い、自分から間合いを詰めていった。

「く……！」

宏明は奥歯を噛み締めて身構えた。

しかし蘭子からすれば、宏明がいちいち頭の中で攻撃パターンをシミュレートするので動きが丸分かりだった。

と、いきなり宏明が踏み込んでヌンチャクを振るってきた。殺すつもりなどはなく、倒して犯すのが目的だから頭ではなく、まずは蘭子の肩か腕を狙って動きを封じるつもりらしい。

すでに動きを読んでいるから、蘭子は間一髪で攻撃を躱し、爪先でヌンチャクを持った手首を蹴り上げ、さらに脇腹への二段蹴り。

「むぐ……！」

宏明が呻いて前屈みになり、ヌンチャクを取り落とした。

すると彼は、右腰のケースに入っていたサバイバルナイフを取り出し、必死の形相で身を起こしたのだ。

稽古で苦労することを厭《いと》い、武器に執着するタイプらしい。

蘭子が落ちたヌンチャクを拾うのと、踏み込んだ宏明が横殴りにナイフを振るうのが同時だった。

咄嗟に、蘭子は遠心力のついたヌンチャクを渾身の力で横に払うと、それは見事に宏明の左顎に炸裂した。

もちろんナイフの切っ先は、蘭子にかすりもしていない。

ガッと鈍い音がし、宏明の顔の下半分が完全にずれたように見えた。

「う……！」

宏明は白目を剝いて呻くと、そのまま糸が切れたように崩れていった。

今度は掌底で気絶するのとはわけが違う。かなりの重症だろうから蘭子はヌンチャクを捨て、自分のスマホで救急車を呼んだ。

希望ヶ丘公園だと言うと、救急車は意外に早く五分ほどで到着した。それだけ町が平和なのだろう。

「どうしました！」

降りてきた救急隊員が言うので、蘭子は倒れている宏明を指した。

「こ、これはひどい。顎が……」

「凶器で襲われたので反撃しました」

「これだけの怪我となると、警察にも報せるので、あなたも一緒に来て下さい」

「ええ、もちろん。私の生徒ですから」

「せ、先生ですか……」

救急隊員は目を丸くし、とにかく宏明を担架に乗せて救急車に運んだ。蘭子も宏明のブルゾンと二種類の凶器を拾って担架に載せ、彼のスマホも手にして一緒に救急車に乗り込んだ。

すぐサイレンを鳴らして救急車が走り出すと、蘭子は奴のスマホ動画を確認してみたが、全て完全に録画されていた。

市民病院に入ると、宏明は緊急処置室に運び込まれ、警察にも通報されたので蘭子はロビーで待った。

間もなく制服警官の巡査長と、私服の刑事がやって来たので、蘭子は恭助校長が作ってくれたばかりの名刺を渡した。

「先生ですか……」

吉村《よしむら》と名乗った四十前後の刑事は、名刺を見て救急隊員と同じような反応を示した。

とにかく蘭子がスマホの動画を見せると、刑事と警官は覗き込んで事情を納得したようだ。宏明が準備した動画が、何よりも蘭子の正当防衛の証拠となったのである。

「このスマホは、高田のものですね？」

「ええ、救急車を呼んだ、これが私のスマホ。奴は私を倒して犯すつもりで撮っていたのでしょう。二種類の凶器も奴のものと分かると思います」

「はい、確かに……」

吉村は頷いては、画面と蘭子の顔を交互に見た。

「相当に、空手をおやりに？」

「それなりに、実際は剣道の方が得意ですが」

「それはすごい。この高田は何度も補導されている札付きです。今回のことが良い薬になると良いのですが……」

「私は引き上げて構いませんか」

話が済むと、証拠品を預けて蘭子は立ち上がった。

「はい、また何かあれば事情を聞きに学校へ伺うかも。大月先生は、明日も学校にいますよね？」

「ええ、もちろん」

「では、お引き取り頂いて結構です」

吉村に言われ、蘭子は二人の好奇の視線を背に受けながら市民病院を出て、徒歩で独身寮まで戻った。

夕食と入浴を済ませても、命の遣り取りに等しい戦いをしたので全身に興奮がくすぶっていた。

（光一を抱きたい……）

そう思ったが、独身寮へ呼び出すわけにも、彼のアパートへ行くわけにもいかない。

それに今日、光一は小夜子と濃厚な体験をしたはずである。それは午後、光一や小夜子と顔を合わせただけで分かった。

もちろん妬心は湧かず、多くの体験を積んでテクを磨いて欲しいと思った。

同じ寮内にいる美雪を誘えば、喜んで舐めてくれるだろうが、いかに体の芯が疼いても女同士でするのは気が向かない。

仕方なく蘭子はベッドに横になり、いつものように愛用のバイブを挿入し、自分を慰めてから眠ったのだった。

5

「お早うございます。大月先生、すぐ校長室へ行くようにと」

翌朝、蘭子が早めに登校すると玄関脇の事務室から職員が顔を出して言った。

「お早うございます。分かりました」

蘭子は答え、そのまま真っ直ぐ校長室へ行きドアをノックして入った。

すると、応接用のソファに、中年男女が並んで座り、その前で校長の恭助がほっとしたように蘭子を見た。

「こちらは？」

「高田宏明君のご両親だ」

恭助が答えると、男女は激しい眼差しで蘭子を睨んだ。

「大月です」

蘭子が一礼し、二人の向かいに腰を下ろすと、

「あんたが息子に大怪我させたのか！」

パンチパーマで筋肉質の男親が、立ち上がって蘭子に詰め寄った。

見るからにヤクザものという感じだが、あとで聞くと真治の父親が経営する株式会社カジオの社員ということである。

男親は高田明夫《あきお》、派手な化粧の母親は俊美《としみ》という名だった。

その俊美がハンカチで目を押さえながらヒステリックに叫んだ。

「顎関節が粉砕して、元通りにはならないって！　一生、流動物しか口に出来ないのよ！」

「それは大怪我でしたね」

蘭子が落ち着いて言うと、二人は激昂して立ち上がった。

「こいつ……！」

「まあお座りなさい。まず私に言うことが二つあるでしょう」

「な、なんだ……」

「謝罪と礼です。バカ息子が凶器を振るって私を襲ったのだから、それを謝るべきです。そして、命まで奪わなかったことに礼を言いなさい」

蘭子が言うと、隣で恭助がオロオロしていた。

「何だと……！」

「警察で証拠の動画は見せてもらったでしょう。顎を砕いたのは奴が持っていた凶器です。しかも咄嗟の中でも、奴の頭を狙わず顎にしておいたのです。それとも殺した方が良かったですか。どちらにしろ私は正当防衛で無罪ですので」

「そ、それが加害者の言うことか！」

「ははあ、加害者が自分の息子だと分かっていないのですね。さすがにバカ息子の親はバカ親です。恐らく先祖代々バカの家系でしょう」

「貴様……！」

「では私が大怪我をして犯されて、恥ずかしい動画をばらまかれた方が良いのですか。お母さん、女ならそれがどんなに辛いか分かるでしょう」

蘭子が俊美に目を向けて言ったが、彼女はただ顔を伏せて泣くばかりで話にならなかった。

と、そこへドアがノックされ、恭助が応じると二人の背広男が入って来た。

吉村刑事が、今日は若い刑事を従えていた。

「話は外にも聞こえていました。大月先生の言うことの方が正しいですね。息子さんは、入院中のまま書類送検されるでしょう」

「ならば、卒業目前でも退学はやむを得ないでしょうね」

吉村の言葉を蘭子が引き継いで言うと、明夫と俊美は刑事の前ということもあって座り直し、必死に拳を握りしめていたが、やがて二人はフラつきながら立ち上がった。

「こ、このままでは済まさないからな、覚えていろよ……」

「それは脅迫ですね。刑事さんの前で」

蘭子が明夫に言うと、二人は憤然として校長室を出ていった。

荒々しい足音が遠ざかっていくと、刑事二人も嘆息しながら空いたソファに並んで座った。

「困ったものです。あの父親も以前から何度か傷害で捕まってるんですよ」

吉村が言い、恭助も両親が帰ると肩の力が抜けたように、

「バカの家系か……、痛快だったな」

苦笑しながら言った。

どうやら誰もが蘭子の味方らしいが、それも当然のことである。

「とにかく大月先生に問題はないと判明していますが、今後とも身辺には気をつけて下さい。まあ警察で武道教官でもしてもらいたいぐらいですから、まず大丈夫とは思いますが」

吉村が言い、動画を見たらしい若い刑事も憧れの眼差しで蘭子を見ていた。

蘭子はそっと吉村の心根を読んでみたが、実際蘭子には何の問題もなく、むしろ彼は今後の心配をしてくれているようだった。

「あの父親が勤めているカジオという会社は、土木建設を請け負い、今回は大手スーパーを建てようとしている流れ者の業者ですが、どうもヤクザまがいの男を集め、この町で王国でも作ろうとしているようなのです」

吉村が言う。

「代表は、この学校にも籍を置く梶尾真治の父親で真一郎《しんいちろう》といいます。市議会や

警察にも金をばらまいて、いずれは市長選も目論んでいる噂がありますが、もちろん警察は全ての市民の味方です。癒着した警官は排除するよう努力しますので見守って下さい」

彼が蘭子と恭助を見て言い、二人も小さく頷いた。

「入院中の体育教師、中野武志《なかのたけし》も私の友人で、真面目に犯人捜しをしない上司には不満を持っています」

そう言うと吉村は腰を上げ、蘭子に見とれていた若い刑事も立ち上がった。

「では授業もあるでしょうから、我々はこれで引き上げます。大月先生、何かの時はすぐ通報を」

「ええ、有難うございます」

蘭子が立って答えると、二人も一礼して出ていった。

「いやあ、君が無事で良かった。とにかく、夜の外出などは充分に気をつけるように」

「ええ、分かりました。ではホームルームに行きますね」

蘭子は言って校長室を出ると、四階まで駆け上がって遅れ気味のホームルームで出席を取った。

今日も真治は来ていないが、宮川勇太は出席して身を縮めていた。

光一は、今日も熱っぽい眼差しを蘭子に向けている。

昨夜の出来事は、生徒には伝わっていないのだろうが、あるいは勇太ぐらいは真治から連絡を受けているかも知れない。

やがてホームルームを終え、蘭子が出席簿を持って教室を出ると、隣のA組でもホームルームが終わったようで、担任の美雪が駆け寄ってきた。

「大月先生、今日良ければ私の部屋で夕食しませんか」

美雪が並んで階段を下りながら話しかけた。

心根を読むと、やはり蘭子への熱い欲望が溢れんばかりに渦巻いていた。昨夜も、蘭子との行為を妄想しながらオナニーしたらしい。

折しも昨夜、ほぼ同じ時間帯に寮内でそれぞれが自分を慰めていたことに蘭子は心の中で苦笑した。

「今日はダメです。それよりうちのクラスの青井光一を誘惑してみません？」

「え……？」

蘭子の言葉に、美雪が思わずよろけそうになって手すりに摑まった。

「間もなく自由登校で卒業になるし、年上に手ほどきを受けたがっているようだから」

「そ、それって……」

「ええ、私も彼には目をかけているのだけど、童貞に興味はないので、古賀先生がしてあげてほしいんです。彼を大人にしてくれたら、私はお礼に何でも古賀先生の言いなりになっても良いので」

「ほ、本当……？」

言うと、美雪は目を丸くし、なぜ光一がからんでくるのか分からないまま歓喜に包まれていた。

「わ、私も彼のことは可愛いと思ってたんです。色白で中性っぽいし、たまに私をじっと見ていたこともあったから」

それは私が着任するまでのことでしょう、と蘭子は思った。そして中性的どころか、光一のペニスは一人前である。

美雪のかつての男性体験も、やはり中性的な男ばかりのようだった。

「彼もシャイだから、だいぶモヤモヤしているようだし、今日あたりアパートまで送ってあげたら良いんじゃないかしら」

「ええ、そうしてみるわ」

蘭子が言うと、美雪も気が急くように答えたのだった。もちろん美雪は、光一よりも、そのあとで蘭子が言いなりになってくれるという方に惹かれているのである。

やがて、何事もなく一日の授業を終えた。

蘭子も、遅くならないよう今日はクラブ活動も見回らず、六時限目の授業を終えたら帰ることにした。

すると下校しようとしている光一が、美雪に誘われ彼女の車に乗り込むところが見えた。それほど寮は遠くないが、美雪は買い物などもするため自家用車で通勤している。

（頑張って、うんと上手になってね）

蘭子は心の中で光一に語りかけ、自分は徒歩で独身寮に向かったのだった。

第三章　淫惑メガネ美女

1

「済みません。送ってもらって……」

助手席に乗りながら光一は美雪に言い、車内に籠もる甘い匂いに股間を疼かせてしまった。

もちろん送ってもらうなど初めてだが、蘭子が着任するまでは、このメガネ美女の美雪が彼にとってオナニー妄想の最多出場者だったのだ。

「いいのよ、ちょうど君を見かけたものだし、誰も見ていなかったから」

美雪が答え、車をスタートさせた。

光一がそっと美雪の心根を覗いてみると、蘭子に言われて彼を誘ったことが分かってしまった。

(蘭子先生が美雪先生に、僕に手ほどきするように言ってくれたのか。よほど僕に、多くの女性を知って成長してほしいんだな……)

確かに、みんな違ってみんな良いのだから彼には有難いことだ。

蘭子も、光一の思いが自分一人だけに向き過ぎないよう仕向けているのかも知れない。

どうせ卒業したら彼は上京するのだし、蘭子への思いが強すぎて、この土地に残るなんて言われることを警戒しているのではないか。

そして美雪の心は、蘭子との淫らな行為への想像で一杯だった。

(そうか、美雪先生は、本当は蘭子先生としたいんだ。でも、僕とも仕方なくといった感じでなく、やはり童貞を味わいたい欲望もあるらしい……)

光一は読み取り、それなら小夜子との時のように無垢を装おうと思った。

そして美雪が自分とセックスするつもりでいるのは確実なので、もうためらわず自分から積極的に求めるつもりになっていた。

「ね、先生、僕のアパートに寄ってくれませんか」

思いきって言ってみた。もし彼女がためらえば、英語で訊きたいことがあるとでも取り繕うつもりだったが、美雪は即答してくれた。

「いいわ、高校生の一人暮らしって、どんな部屋か見てみたいし」

彼女は言い、やがて坂を下ると独身寮を通り過ぎ、市街の外れにある光一のアパートまで来た。

道路は広いし、あまり車も通らないので路上駐車で良いだろう。

車を降りると、光一は鍵を出し、一階の端にあるドアを開けた。アパートは二階建てで、上下三つずつ。やはり他の住人も独身者たちで、まだ誰も勤めから帰っていないようだ。

美雪を中に招き入れると、光一は激しく胸を高鳴らせながらドアを内側からロックした。密室になると、スイッチが入ったようにムクムクと勃起し、痛いほど股間が突っ張った。

「綺麗にしてるわね」

上がり込んだ美雪はキッチンを見回し、奥の本棚を眺めた。

光一は興奮と緊張に包まれた。

蘭子のおかげで、小夜子のみならず美雪とも、かつて妄想していたような展開になっているのである。

しかも一昨日に蘭子が着任して初体験をし、昨日は小夜子の熟れ肌を味わい、そして今日はメガネの英語教師と懇ろになれるのである。まだ三日目のことで、目まぐるしい展開に心身がぼうっとなるほどだった。

それに今日は校内ではなく、バスルームもある自宅なのだ。

「ね、先生、お願いです。僕の初体験の相手になって下さい」

素直に切り出すと、美雪もあまりにストレートな要求にレンズ越しの目を見開いたが、どちらにしろ彼女もその気だったので頷いてくれた。

彼女自身、どう切り出そうか迷っていたのだろう。

「いいわ、知りたい年頃だろうし、私を最初の相手に選んでくれて嬉しいわ」

美雪が答えた。ショートカットに黒縁メガネ、地味な服装で見慣れた英語教師も、彼の部屋で見ると一人の女性だった。

「じゃ、僕急いでシャワー浴びてきます」

「一緒に入る？」

「いえ、先生は今のままで。初めてだからナマの匂いも知ってみたいし」

「まあ……」

彼の言葉に美雪は息を呑み、一瞬最後の入浴が昨夜で、今日はあちこち動き回ったことなどをパノラマのように脳裏に浮かべた。

「じゃ急いで流すので、そのまま待ってて下さいね」

光一は言って彼女を椅子に座らせ、自分は学生服を脱いでメガネを外し、バスルームに入っていった。

そして手早く全裸になり、シャワーの湯を浴びながら急いで歯磨きをし、勃起を抑えながらチョロチョロと放尿まで済ませた。

ドア越しに美雪の想念を窺ってみたが、彼女は特に口中清涼剤を含むでもなく上着だけ脱いでじっと待機してくれながら淫気を高めていた。

（とうとう生徒とすることになったのね……。でも不良たちでなく、あの子ならいいわ……）

美雪は、そんなことを思い、徐々に濡れはじめていた。

やがて光一は準備万端整えて身体を拭くと、腰にバスタオルを巻いて部屋に戻った。

すると美雪も立ち上がり、すっかり承知しているようにテキパキと服を脱ぎはじめてくれたのだ。

ブラウスとスカートを脱ぎ、さらにブラとパンストを脱いでいくと、見る見る白い肌が露わになってゆき、自分しか入ったことのない部屋に甘い匂いが生ぬるく立ち籠めはじめていった。

光一も腰のバスタオルを外し、全裸でベッドに横になって見ていると、背を向けて脱いでいる美雪がためらいなく最後の一枚を下ろし、白く形良い尻がこちらに突き出された。

着痩せするたちなのか、案外尻は豊満で、彼女が向き直ると、小夜子ほどではないが豊かな乳房が息づいていた。

美雪はベッドの端に腰を下ろし、メガネを外そうとしたが、

「あ、そのままでいいです。いつも見ている美雪先生の顔がいいので」

言うと彼女も掛けたままにしてくれた。

「いいわ、好きにしても。それとも、してほしいことがある？」

美雪が興奮に頬を上気させて言うので、

「ここに座って下さい……」

光一は仰向けのまま自分の下腹を指して言った。

すると美雪は勃起したペニスをチラと見て、

「すごい勃ってるわね。女装が似合いそうな美少年なのに」

言いながら素直に跨がってくれた。下腹に股間が密着すると、熱い潤いが伝わってきた。

「両脚を伸ばして、足の裏を僕の顔に乗せて下さい」

以前からの願望を言うと、美雪も少し驚いたようだが、すぐにも淫気と好奇心を前面に出してきた。

「そんなことしてほしかったの。いいわ、でも重いわよ」

美雪は言いながら、そろそろと両脚を伸ばし、光一が立てた両膝に寄りかかりながら、足裏を彼の顔に乗せてくれた。

「アア、生徒を椅子の代わりにするなんて……」

美雪は熱く喘ぎ、密着する割れ目の潤いを増してきた。

彼もメガネ教師の全体重を受け、重みと温もりに陶然となった。小夜子ほどの体重はないし、美雪は胸も尻も豊かだが、全体は蘭子よりもほっそりしているので堪えられた。

光一は美雪の両の足裏を顔中に受け、舌を這わせながら生ぬるい汗と脂に湿った指の間に鼻を割り込ませて嗅ぐと、やはりムレムレの匂いが悩ましく鼻腔を刺激してきた。

充分に嗅いでから爪先にしゃぶり付き、順々に指の股に舌を潜り込ませて味わうと、

「あう、くすぐったいわ……」

美雪が呻き、彼の口の中で指を縮めた。心根を読むと、

(もしかして変態なのかしら。でも凶暴性はなさそうだから良いけど……)

彼女はそんなことを思いながらも、しゃぶられて腰をくねらせ、密着した割れ目を蠢かせていた。

やがて彼は両足の味と匂いを貪り尽くすと、

「顔に跨がって」

美雪の両足を顔の左右に置いて言った。

すると美雪もすぐに腰を浮かせて前進し、和式トイレスタイルで彼の顔にしゃがみ込んでくれた。

白い内腿がムッチリと張り詰め、濡れた割れ目が鼻先に迫った。

恥毛は情熱的に濃い方だが、小夜子のような脛毛や腋毛はないようで、校内では不良対策のためがさつなふりをしているが、それなりのケアはしているようだ

った。

はみ出した陰唇が僅かに開き、濡れて息づく膣口と、小豆大のクリトリスが光沢を放ってツンと突き立っていた。

今まで何度となく想像した割れ目を目の前にし、彼は腰を抱き寄せて茂みに鼻を埋め込んでいった。

隅々に蒸れて籠もる汗とオシッコの匂いが悩ましく鼻腔を刺激し、彼は胸を満たしながら舌を這わせはじめた。

そして淡い酸味を含んだヌメリをクチュクチュ掻き回し、ゆっくり味わいながら膣口からクリトリスまで舐め上げていった。

2

「アアッ……、い、いい気持ち……」

美雪が熱く喘ぎ、思わずギュッと光一の顔に座り込みそうになりながら懸命に両足を踏ん張った。

光一も執拗にクリトリスを舐め回し、時にチュッと強く吸い付いては、泉のようにトロトロ溢れる愛液をすすった。

さらに尻の真下に潜り込み、顔中に双丘の弾力を受けながら、ひっそり閉じられた可憐なピンクの蕾に鼻を埋め、蒸れた匂いを貪った。

「そ、そんなところ嗅がないの……、あう！」

美雪は言ったが光一が舌を這わせると呻き、さらに彼はヌルッと潜り込ませて滑らかな粘膜を探った。

「あう、変な感じ……」

彼女が呻き、キュッときつく肛門で舌先を締め付けてきた。

心根を読むと、どうやら男女との体験の中で、肛門への愛撫は経験していないようだった。

光一が中で舌を蠢かせると、割れ目から溢れた愛液がツーッと糸を引いて滴り、彼の鼻先を生ぬるく濡らしてきた。

彼は再び割れ目に戻って大量のヌメリをすすり、クリトリスに吸い付いて匂いに酔いしれた。

「も、もうダメ、今度は私が……」

絶頂を迫らせたように美雪が声を上ずらせ、ビクッと股間を引き離して移動してきた。彼を大股開きにさせると真ん中に腹這い、レンズ越しの熱い眼差しをペニスに注ぎ、ソフトタッチで指を這わせてきた。

そして粘液の滲む尿道口にチロチロと舌を這わせ、張り詰めた亀頭にしゃぶり付いた。

（ああ、ペニスをしゃぶるなんてすごく久しぶり……）

美雪はそう思い、喉の奥までスッポリ呑み込むと、幹を丸く締め付けて吸い、熱い鼻息で恥毛をそよがせた。

口の中ではクチュクチュと舌が蠢いてからみつき、生温かな唾液にまみれさせてくれた。

「ああ……、気持ちいい……」

光一も快感に喘ぎ、メガネ教師の口の中でヒクヒクと幹を震わせた。

いつも綺麗な英語の発音をする口が、今は快感の中心部をおしゃぶりしているのである。

さらに彼女は顔を上下させ、スポスポとリズミカルな摩擦を繰り返した。

「い、いきそう……」

すっかり高まった彼が言うと、すぐに美雪もチュパッと口を離した。

「お口に出しても構わないのだけど、やっぱり初体験したいでしょう」

「ええ、どうか上から跨いで下さい……」

光一が答えると、美雪は身を起こして前進し、彼の股間に跨がった。

唾液に濡れた先端に割れ目を押し当て、自ら指で陰唇を広げながら位置を定めると、息を詰めてゆっくり座り込んできた。

張り詰めた亀頭が潜り込むと、あとはヌルヌルッと滑らかに根元まで呑み込まれ、彼女の股間がピッタリと密着した。

「アア……！　いい……」

美雪が顔を仰け反らせて喘ぎ、彼も両手で抱き寄せながら、両膝を立てて蠢く尻を支えた。

彼女が身を重ねてくると、光一は潜り込むようにしてチュッと乳首を含み、舌で転がしながら顔中で膨らみと温もりを味わった。

「いい気持ちよ、もっといっぱい吸って……」

美雪が膣内を収縮させ、久々のペニスを味わうようにキュッキュッと締め付けながら熱く囁いた。

光一も左右の乳首を交互に含んで舐め回し、さらに腋の下にも鼻を埋め込んで嗅いだ。生ぬるくジットリ湿った腋には、何とも甘ったるい汗の匂いが濃厚に籠もって鼻腔を満たした。

（あ、汗臭くないのかしら……）

美雪は羞恥を湧かせて思ったが、あまりに光一が夢中で嗅ぐので安心したようだ。彼も充分に胸を満たしながら、徐々にズンズンと股間を突き上げはじめていった。

「あう……、すごい……」

美雪も合わせて腰を遣いながら呻き、上からピッタリと唇を重ねてきた。

柔らかく弾力あるグミ感覚の唇が密着し、すぐにも彼女の舌がヌルッと潜り込んだ。

光一はチロチロと舌をからめ、生温かな唾液に濡れて蠢く舌を味わった。

熱い鼻息が彼の鼻腔を湿らせ、間近に迫るレンズも曇りがちになった。

次第に互いの動きが一致し、ピチャクチャと摩擦音が聞こえてくると、

「アア、いきそうよ……」

美雪が淫らに唾液の糸を引いて口を離し、熱く喘いだ。開いた口に鼻を押し付けて湿り気ある息を嗅ぐと、それは花粉のような甘さに、昼食の名残か微かなオ

ニオン臭も混じって鼻腔を掻き回してきた。

もちろん嫌ではなく、むしろ彼はギャップ萌えに高まって胸を満たした。

「いい匂い。いつも綺麗な発音をする美雪先生は、こんないい匂いがしていたんだね……」

嗅ぎながら言うと、

(まあ、昼食後に歯磨きもせずそのままなのに、でも中でピクピク悦んでいるから、本当に嫌な匂いじゃないのね……)

美雪はそう思い、次第に止めようもなく熱い呼吸を繰り返した。

光一はもう堪《たま》らず、美雪の吐息と肉襞の摩擦に高まり、とうとう昇り詰めてしまった。

「い、いく、気持ちいい……！」

突き上がる絶頂の快感に口走りながら、熱いザーメンをドクンドクンと勢いよく注入すると、

「いいわ……、アアーッ……！」

噴出を感じた美雪も声を上ずらせ、ガクガクと狂おしいオルガスムスの痙攣を開始したのだった。もちろん激しすぎる快感は恐ろしいので、彼女の想念はシャ

ットアウトし、光一は快感を嚙み締めながら、心置きなく最後の一滴まで出し尽くしていった。

「ああ……」

満足しながら声を洩らし、徐々に突き上げを弱めていくと、

「アア、なんて久しぶり、すごく大きくいけたわ……」

美雪も肌の硬直を解きながら声を洩らし、グッタリと力を抜いて彼に体重を預けてきた。

膣内は名残惜しげに貪欲な収縮をキュッキュッと繰り返し、中で彼自身はヒクヒクと過敏に跳ね上がった。

そして光一はメガネ教師の重みと温もりを受け止め、熱い花粉臭の吐息を間近に嗅いで胸を満たしながら、うっとりと余韻を味わったのだった。

やがてヌメリと締め付けで、満足げに萎えはじめたペニスが押し出され、とうとうツルッと抜け落ちてしまった。

「あう、抜けちゃったわ……」

美雪が言い、支えを失ったようにもたれかかってきたが、やがてそろそろと身を起こしていった。

「もう浴びてもいいわね……」

彼女が言い、メガネを外して枕元に置き、ベッドを降りたので光一も一緒に起き上がってバスルームへ移動した。

シャワーの湯を出してやると美雪は身体を流して股間を洗い、ようやくほっとしたようだ。

メガネを外すと見知らぬ美女を相手にしているようで、湯に濡れた肌を見ているうち、すぐにも彼自身はムクムクと回復していった。

そこで光一は、以前からの願望を口に出してしまった。

「ね、先生がオシッコするところを見てみたい……」

自分の言葉に激しい羞恥を覚え、たちまちペニスは完全に元の硬さと大きさを取り戻した。

「まあ、そんなの見たいの……？」

美雪は驚いたように答えたが、まだ快感の余韻で朦朧となり、尿意も高まっていたのか拒むことはしなかった。

「恥ずかしいけど、いいわ。何でも知りたい年頃だしね。どうすればいい？」

「じゃ、ここに立って足をここに」

光一は狭い洗い場に腰を下ろし、目の前に美雪を立たせると、片方の足を浮かせてバスタブのふちに乗せさせた。

彼は開いた股間に顔を埋めたが、残念ながら湯に湿った茂みに籠もっていた匂いの大部分は洗い流されてしまった。

それでも割れ目内部を舐めると、すぐにも新たな愛液が溢れ、淡い酸味のヌメリで舌の動きがヌラヌラと滑らかになった。

期待に胸を高鳴らせながら彼が舌を這わせていると、柔肉の奥が迫《せ》り出すように盛り上がり、たちまち温もりと味わいが変化してきたのだった。

3

「あう、出るわ、離れて……」

美雪はガクガクと膝を震わせ、声を震わせて言ったが、もちろん光一は顔を埋め込んだままだった。

間もなくチョロチョロと熱い流れがほとばしり、彼は嬉々として口に受けた。

味も匂いも淡く、少しだけ喉に流し込んでみたが、薄めた桜湯のように抵抗なく飲み込むことが出来た。

「アア……、ダメ……」

彼の喉が鳴る音を聞き、美雪は声を上ずらせたが、いったん放たれた流れは止めようもなく勢いがついてきた。口から溢れる分が温かく胸から腹を伝い流れ、勃起したペニスが心地よく浸された。

美雪の面影でオナニーしている男子生徒は多いだろうが、光一がセックスどころか、オシッコまで味わっているなど誰も夢にも思わないだろう。

やがて延々と続くかに思えた流れも急に勢いが衰えると、間もなく完全に治まってしまった。

ポタポタと滴る余りの雫に愛液が混じり、ツツーッと糸を引いた。

光一は残り香の中で雫をすすり、熱く濡れた割れ目内部を舐め回した。

「も、もうダメよ……」

美雪が言って足を下ろすと、そのまま力尽きたようにクタクタと椅子に座り込んでしまった。

光一もシャワーの湯で全身を洗い、美雪も股間を流してから、やっとの思いで立ち上がった。そして二人で身体を拭くとバスルームを出て、全裸のままベッドへ戻っていった。

そろそろ陽が西に傾く頃である。

「こんなに勃って、まだ出来るのね……」

添い寝した美雪が再びメガネを掛け、彼の強ばりに触れて言った。

「でも、もう私は充分だわ。またいくと帰れなくなりそうだから、お口でもいいかしら……」

「ええ、じゃいきそうになるまで指でして」

言いながら腕枕してもらうと、美雪も彼の顔を胸に抱きながら、手を伸ばして幹をしごいてくれた。

光一が乳房を探ると、美雪が唇を重ねてきた。

彼も舌をからめ、滴る唾液でうっとりと喉を潤しながら、美雪の手の中でヒクヒクと幹を震わせた。

唇を離すと、彼は美雪の口に鼻を押し込み、熱く湿り気ある濃厚な花粉臭の吐息でうっとりと胸を満たした。

（ああ、嗅がれるの恥ずかしい……）

彼女の心の呟きが伝わってきた。身体は流しても、口は漱《すす》いでいないので気になるのだろう。

「いきそう……」

「いいわ、じゃお口に出しなさいね」

「顔に跨がって……」

言うと美雪は手を離して腕枕を解くと、身を起こして顔を移動させた。

そして仰向けの光一の股間に口を寄せながら、そろそろと彼の顔に跨がり、女上位のシックスナインの体勢になっていった。

美雪が張り詰めた亀頭にパクッとしゃぶり付くと、光一も下から彼女の腰を抱き寄せ、濡れた割れ目に顔を埋め込んだ。

彼女は熱い鼻息で陰嚢をくすぐりながら亀頭を吸い、クチュクチュと舌をからめてきた。

彼が快感に身悶えながらクリトリスを舐め回すと、目の上にあるピンクの肛門がキュッキュッと艶めかしい収縮を繰り返した。

「ンンッ……！」

美雪が呻いて強く吸引し、白く丸い尻をくねらせた。互いに最も感じる部分を舐め合っているので、愛液の量も格段に増してきた。

しかし彼女がスポンと口を離したのだ。

「ダメ、集中できないから舐めないで……」

「分かりました。じゃ見るだけにしますね」

いわれて、彼も舌を引っ込めた。

見るだけと言われたので、さらに彼女は羞恥を増したように柔肉を蠢かせながら、再びスッポリと喉の奥まで呑み込んでくれた。

美雪が顔を上下させ、スポスポと濡れた口で強烈な摩擦を開始したので、彼もズンズンと合わせて股間を突き上げた。

喉の奥を突かれるたび、美雪はウッと息を詰め、たっぷり出した生温かな唾液でペニスを浸してくれた。

溢れた唾液が陰嚢まで濡らし、摩擦快感と艶めかしい割れ目の眺めに、光一も急激に高まっていった。

「ああ、気持ちいい、いく……！」

大きな絶頂の快感に激しく全身を貫かれると、彼は口走りながら、ありったけの熱いザーメンをドクンドクンと勢いよくほとばしらせてしまった。

「ク……」

喉の奥を直撃された美雪が小さく呻き、それでもリズミカルな摩擦と吸引は続行してくれた。光一は快感を嚙み締め、心置きなく最後の一滴まで出し尽くしていった。

「ああ……」

すっかり満足しながら声を洩らし、徐々に突き上げを弱めてグッタリ身を投げ出して余韻に浸ると、彼女も動きを止めて、亀頭を含んだまま口に飛び込んだザーメンをゴクリと飲み干してくれた。

「う……」

嚥下とともに口腔がキュッと締まり、駄目押しの快感に光一は息を詰めた。

(ああ、飲むの好きじゃないのに、今は抵抗が無いわ……)

美雪はそう思い、ようやく口を離した。

そして余りを絞るように幹を指でしごき、尿道口に脹らむ白濁の雫まで丁寧にペロペロと舐め取ってくれたのだった。

「あうう、も、もういいです、有難うございました……」

光一はクネクネと腰をよじって言い、過敏になった幹を震わせて降参した。

彼女も舌を引っ込めて身を起こし、チロリと舌なめずりすると、そのままベッドを降りた。

「二回目なのにいっぱい出たわ。それに若いから濃いのね」

美雪は言いながら、手早く身繕いをした。

彼女の心の中は、これで蘭子との約束を果たしたし、思っていた以上の快感も得られたので満足そうだった。そして蘭子との、女同士の行為への期待に胸がいっぱいのようだ。

「じゃ私は帰るわね。また明日学校でね」

「ええ、有難うございました」

光一が答えると美雪は、まだ仰向けのまま荒い息遣いを繰り返している彼をそのままに部屋を出て行った。

彼女が玄関を出ると、間もなくエンジン音が聞こえて、やがて車は走り去っていった。

ようやく呼吸を整えると、光一も身を起こして服を着て、夕食の仕度に取りかかった。外はすっかり暗くなっている。

彼は、今日も大きな快感が得られたことを蘭子に感謝したのだった。

4

「では出席を取ります」

翌朝のホームルームで蘭子が言ったが、光一は眩しくて彼女の顔が見られなかった。どうせ蘭子も、昨日光一が美雪と濃厚な行為に耽ったことを知っているだろう。

これで光一は、蘭子と小夜子と美雪、本校にいる三人の女性全員と懇ろになってしまったのである。もちろんクラスの誰も、そんなことは想像だにしないに違いなかった。

今日は真治も登校しており、欠席者は入院中の宏明だけだった。

むろん表面上は真治も、他の不良グループとともに今は大人しくしているが、すでに入院中の宏明が蘭子にやられたことは知れ渡っているだろう。

間もなく卒業試験があり、それが済めば卒業式まで自由登校となる。

ホームルームを終えると蘭子は教室を出てゆき、やがて一時限目の英語で美雪が入って来た。

彼女もチラと光一を見ただけで、何事もなかったように授業を開始した。

やはり今は、蘭子のことで頭がいっぱいなのだろう。

(このメガネ美女の体を、隅々まで味わったんだ……)

光一は授業をする美雪を見ながら、誇らしい気持ちで思い、股間を熱くさせてしまったのだった。

そして何事もなく一日の授業が終わり、三時過ぎに光一は下校した。

すると蘭子が追ってきたのである。

「一緒に帰りましょう」

「え、ええ……」

光一は戸惑いながら答えた。

今日は蘭子もクラブ活動を見回らないようだ。

「今日は一度も目を合わせなかったのね」

「ええ、何か気まずくて、美雪先生とのことを知ってると思うと」

「私が紹介したようなものだから、気にしなくていいのに」

一緒に歩きながら、蘭子が言う。

「それより、美雪先生と女同士でするんですか」

「そう……、彼女の心を読んだのね。明日の金曜に、独身寮で一緒に夕食することになっているわ」

では今日は、蘭子は何の用事もないらしい。

いや、彼を追ってきたのだから、光一に用事があるのかも知れず、彼は歩きながら股間を突っ張らせてしまった。

思わず彼女の心を読むと、

(君のアパートへ行きたいわ)

蘭子の熱い欲望が伝わってきた。

(ええ……、是非……)

彼も心の中で答えた。テレパシーは、実に密談には最適である。

やがて坂を下り、アパートに着くまで光一は激しい勃起で歩きにくいほどになっていた。

部屋に通すと、蘭子は並んだ本の背表紙を眺め、光一は緊張と期待に激しく胸が高鳴っていた。

昨日に続き、今日も憧れの美人教師が自分の部屋にいるのが、何とも信じられない思いだった。

どう切り出そうか迷っていると、彼の心を読んだ蘭子が言って上着を脱いだ。

「お茶なんか要らないわ。君もシャワーは後回し。すごく待ち切れないの」

彼女が声を出して言ったので、どうやらテレパシーはシャットアウトしているようで、彼女の心は読めなくなっていた。

やはり相手の意識が流れ込むと、快楽に集中できないのかも知れない。

「せ、せめて僕は流したいのですけど……」

「ダメ、早く脱いで」

蘭子が手早く脱ぎはじめながら言うので、光一もモジモジと学生服を脱いでいった。

やはり校内の体育倉庫ではないので、蘭子は一糸まとわぬ姿になっていった。

光一も全裸になり、漂う甘い匂いを感じながら一緒にベッドに横たわった。

「見たいのね、いいわ」

蘭子がうつ伏せになり、滑らかな背中を向けてくれた。

やはり長年のテレパスとして、シャットアウトしていても彼女の方は光一の心が読めるのかも知れない。

光一ものしかかるようにして、蘭子の背中に目を凝らした。

蘭子に似たマリア観音の美しい顔があり、周囲には百合と蘭の花が咲き乱れていた。

くすんだ青や赤の色合いが艶めかしく、蘭子とともに観音も息づいていた。

恐る恐る撫でてみると、ざらつきはなく実にスベスベの手触りである。

新任の朝に教室で見たときと違い、今はブラジャーもショーツもないので、肩近くから形良い尻の麓まで、絵柄は一切隠されていない。

それでもブラのホックやショーツのゴム痕が、うっすらと見て取れた。

左下の方には小さく署名がされ、『彫茂』と読めた。

光一は見事なタトゥーに見惚れ、やがて吸い寄せられるように、マリア観音に唇を重ねていった。

甘ったるい匂いが感じられ、舌を這わせると、

「く……」

顔を伏せた蘭子が小さく呻き、ピクンと反応した。案外背中は感じるのかも知れない。

彼は観音の顔ばかりでなく、背中のあちこちに舌を這い回らせはじめた。

ブラのホック痕は淡い汗の味がして、セミロングの髪に鼻を埋めると、さらに甘い匂いが鼻腔をくすぐった。

しなやかな髪を掻き分け、耳の裏側の湿り気を嗅ぎ、舌を這わせ、うなじから肩、そして再び背中を舐め降りていった。

蘭子は息を呑み、僅かに肩をすくめながら身を強ばらせた。

そう、まだ男は光一しか知らないのならば、背中を舐められるのも初めてなのだろう。

タトゥーと白い肌との境も滑らかな舌触りが続いているだけで、正に絵柄は彼女と同化しているようだった。

たまに脇腹にも寄り道して舌を這わせ、彼は尻の丸みをたどり、谷間は後回しにして脚の裏側を舐め降りていった。

白くムッチリした太腿から、ほんのり汗ばんだヒカガミ、脹ら脛をたどっていくと、柔肌の奥には強靱なバネが秘められているようだった。

アキレス腱まで降りると、踵に微かな靴擦れの痕が見て取れた。今までは大学助手でスニーカーでも履き、新任のとき揃えた新しい革靴が合うまで数日かかったのだろう。

薄暗い体育倉庫と違い、そんな隅々まで観察することが出来た。

うつ伏せのまま両の足裏を舐め、ヒカガミで折り曲げて持ち上げると彼は形良く揃った指の間に鼻を押し付けて嗅いだ。

そこは一日分の生ぬるい汗と脂に湿り、蒸れた匂いが悩ましく鼻腔を刺激してきた。

光一は両足ともムレムレになった指の股を嗅ぎ、爪先にしゃぶり付いて順々に舌を割り込ませて味わった。

「あう……」

蘭子が呻き、彼は両足全ての味と匂いを貪り尽くしてしまった。

脚を下ろすと顔を進め、ようやく尻の谷間に戻ってきた。

指で谷間を広げると、何やら大きな肉マンでも二つにするようだった。

谷間の奥には、薄桃色の蕾がひっそり閉じられ、細かな襞を震わせていた。

鼻を埋め込むと、ひんやりした双丘が顔中に密着して心地よく弾み、蕾に籠もった蒸れた匂いが鼻腔を刺激した。

光一は匂いを貪ってから舌を這わせ、息づく襞を濡らしてからヌルッと潜り込ませ、滑らかな粘膜を探った。

「く……」

蘭子が呻き、キュッと肛門で舌先を締め付けてきた。

彼は舌を蠢かせ、うっすらと甘苦い粘膜を探っていると、蘭子が脚を縮めて尻を持ち上げてきたのだ。

光一はいったん口を離し、仰向けになって蘭子の股間に潜り込み、腰を抱き寄せて割れ目に顔を埋めた。

柔らかな茂みに鼻を埋めると、生ぬるく蒸れた汗とオシッコの匂いが鼻腔を掻き回し、悩ましく胸に沁み込んできた。

彼は嗅ぎながら舌を這わせ、割れ目内部に差し入れると、そこは熱い愛液が大洪水になっているではないか。光一は膣口の襞をクチュクチュ掻き回してはヌメリをすすり、クリトリスまで舐め上げていった。

「アア……、もういいわ、入れて……！」

すっかり高まったように蘭子が言い、光一も這い出して身を起こした。

すると蘭子は、四つん這いで尻を突き出したままだ。

「最初はバックからよ。色んな体位を試しなさい」

言われて、彼も膝を突いて股間を進めた。

最初はと言うからには、ここで果ててはいけないのだろう。もちろん光一も、まだ唇も乳首も味わっていないし、おしゃぶりもしてもらっていないので、早々と済ませる気はなかった。

とにかく、初めての後背位の練習である。

彼はバックから膣口に先端を押し当て、ゆっくり挿入していった。

ヌルヌルッと滑らかに根元まで埋まり込むと、下腹部に尻の丸みが密着して心地よい弾力が伝わった。

「アアッ……、いい……」

うつ伏せの蘭子がキュッときつく締め付けながら喘いだ。

光一は彼女の腰を抱え、小刻みに前後しはじめると、何とも心地よい摩擦と潤いが伝わり、背のマリア観音も興奮に上気してきたようだった。

ぎこちない動きも次第にリズミカルになってゆき、彼は観音の背中に覆いかぶさり、両脇から回した手で乳房を揉みしだいた。

そして股間をぶつけるように激しく動くと、

「いいわ、今度は横から……」

蘭子が言い、尻の動きを止めて横になっていった。

彼もいったんヌルッと引き抜き、横向きになった蘭子の下の内腿に跨がり、再び根元まで挿入、上に差し上げられた脚に両手でしがみついた。

松葉くずしの体位で、互いの股間が交差しているので密着感が高まり、動くと滑らかな内腿も心地よく擦れ合った。

「アア、いい気持ち……」

蘭子も横向きのまま熱く喘ぎ、腰をくねらせ続けた。

「まだいかないで、次は正常位よ……」

蘭子が言うので光一はまたペニスを引き抜き、仰向けになった彼女の股間に迫った。やはり彼女も、多くの体位を体験したいようだった。

そして挿入しようとすると、蘭子が意外なことを言ってきたのである。

5

「入れる前に、これをお尻に入れて」

蘭子が言い、いつの間に隠していたのか、枕の下から何か取り出して光一に手渡した。受け取って見ると、それは何とピンク色で楕円形をしたローターではないか。

どうやらペニス型のバイブ以外にも、今まで色々なオナニー器具を試してきたのだろう。

すると蘭子が自ら両脚を浮かせ、尻を突き出してきた。

割れ目から伝い流れる愛液で、肛門もヌラヌラと潤っていた。

彼はそこにローターの丸みを当て、親指の腹でゆっくり押し込んでいった。

蕾が丸く押し広がり、見る見るローターが呑み込まれて見えなくなると、あとは電池ボックスに繋がるコードが伸びているだけとなった。

スイッチを入れると、奥からブーン……と低くくぐもった振動音が聞こえ、前後の穴が連動するように割れ目が妖しく蠢いた。

「ああ、いいわ、前に入れて……」

蘭子に言われ、光一もあらためて愛液に濡れた割れ目に先端を押し付け、ゆっくり根元まで挿入していった。

前に体育倉庫でしたときより締め付けが増しているのは、肛門にローターが入っているからなのだろう。しかも間の肉を通し、ローターの振動がペニスの裏側にも妖しく伝わってきた。

「い、いい気持ち……！」

蘭子が前後の穴を塞がれて喘ぎ、彼も股間を密着させて温もりと感触を味わいながら、屈み込んで乳首に吸い付いた。

　まだ律動せず、両の乳首を交互に含んで舌で転がし、彼女の腕を差し上げて腋の下にも鼻を埋め込み、濃厚に甘ったるい汗の匂いに酔いしれた。

　さらに蘭子の首筋を舐め上げ、唇を重ねて舌をからめると、

「ンンッ……！」

　彼女も鼻を鳴らして舌を蠢かせ、熱い息で光一の鼻腔を湿らせた。

　そして蘭子がズンズンと股間を突き上げはじめ、口を離して喘いだ。

「ああ、突いて……」

　言われて光一も腰を突き動かし、熱い吐息を嗅いで鼻腔を満たした。蘭子の息は、まるで桃でも食べた直後のように、濃厚に甘酸っぱい芳香がして鼻腔を刺激してくれた。

　しかし急に、また蘭子が動きを止めたのだ。

「ね、お尻に入れてみて……、試してみたいの……」

　言われて、彼も驚いて腰を止めた。どうやら彼女は前後の穴をオナニー器具で試し、いよいよアナルセックスも初体験したくなったらしい。

　光一も興味を覚えて身を起こし、いったんペニスを引き抜くと、電池ボックス

のスイッチを切った。そしてコードを指に巻き付け、切れないよう注意しながらローターを引っ張り出した。

可憐な蕾が丸く押し広がり、奥からローターが顔を覗かせると、すぐにツルッと抜け落ちた。ローターに汚れはなく、蕾も妖しく息づき、さらに太いものを求めているようだ。

「無理だったら言って下さいね」

光一は言い、脚を浮かし尻を突き出している彼女の蕾に、愛液に濡れた先端を押し当てた。

割れ目に続き、蘭子のアヌス処女まで頂けるのである。

彼は呼吸を計り、蘭子も口呼吸をして懸命に括約筋を緩めていた。

「じゃ入れますね」

彼は言い、グイッと股間を押しつけると、角度もタイミングも良かったように最も太い亀頭のカリ首までがズブリと潜り込んでしまった。

「あう、奥まで来て……」

蘭子が呻いて言い、光一もズブズブと根元まで押し込んでいった。

股間に尻の丸みが密着し、さすがに入り口はきついが中は案外楽で、思ったほどベタつきもなく、むしろ滑らかな感触だった。

「突いて……、中に出して……」

蘭子がせがみ、自ら乳首を摘んで動かし、もう片方の手は空いた割れ目に這わせた。愛液のついた指の腹で小刻みにクリトリスを擦り、このようにオナニーするのかと光一の興奮も高まった。

そして彼も様子を見ながら小刻みに腰を突き動かし、膣とは異なる感触に高まっていった。

蘭子も、次第に括約筋の緩急に慣れたのか、すぐに律動も滑らかになった。

彼女が割れ目をいじるたびクチュクチュと湿った音がし、興奮に高まる膣口と一緒に肛門もキュッキュッと締まった。

「ああ、いく……！」

たちまち光一は口走り、激しく絶頂に達してしまった。

何しろバックに松葉くずしに正常位をしたあと、アナルセックスの初体験をしているのだから限界だった。

昇り詰めると同時に、大量の熱いザーメンがドクンドクンと勢いよく内部にほとばしった。

「あう、熱いわ、出ているのね……」

蘭子が噴出を感じて言い、そのままガクガクと狂おしいオルガスムスの痙攣を開始したのだった。もっともアナルセックスばかりでなく、自分でいじるクリトリスの快感で果てたのかも知れない。

光一は股間をぶつけるように動きながら、密着する尻の丸みを味わった。

内部に満ちるザーメンで、さらに動きはヌラヌラと滑らかになり、彼は快感の中、心置きなく最後の一滴まで出し尽くしていった。

ようやく激情が過ぎ去ると、彼は徐々に動きを弱めていき、

「アア……、良かった……」

蘭子も満足げに声を洩らし、肌の強ばりを解いてグッタリと身を投げ出した。

荒い呼吸を繰り返す間も、キュッキュッと異物を押し出すような収縮が繰り返され、ヌメリとともにヌルッとペニスが抜けてしまった。

何やら光一は、美人教師に排泄されたような興奮が湧いた。

見るとペニスに汚れはなく、丸く開いて一瞬粘膜を覗かせた肛門も、見る見る閉じられて元の可憐な蕾に戻っていった。

「さあ、早く洗った方がいいわ」

呼吸を整える間もなく蘭子が言って身を起こし、一緒にベッドを降りるとバスルームへと移動していった。

蘭子が甲斐甲斐しくシャワーの湯を光一のペニスに浴びせ、ボディーソープを泡立ててくれた。

ヌルヌルする指で丁寧に洗われると、すぐにも彼自身はムクムクと勃起しそうになってしまった。

「勃たせるのはまだよ。先にオシッコして中も洗い流しなさい」

蘭子が言い、彼も懸命に勃起を抑えて尿意を高め、やっとの思いでチョロチョロと放尿した。

出しきると蘭子はもう一度湯を浴びせ、屈み込んで消毒するようにチロリと尿道口を舐めてくれた。

「あう……」

彼は刺激に呻き、もう堪らずムクムクと完全に回復してしまった。

蘭子が身を離し、自分もシャワーを浴びて股間の前後を洗った。

「ね、先生もオシッコしてみて……」

床に座り込んで言うと、蘭子も湯を止めて彼の前に立ち上がった。

あるいは蘭子が今日美雪と会ったとき、彼とそんな行為をしたことまで読み取っていたのかも知れない。

蘭子は自分から片方の足を浮かせてバスタブのふちに乗せ、開いた股間を彼の顔に突き出してくれた。

光一も割れ目に鼻と口を押し当てたが、やはり濃厚だった匂いは薄れてしまった。それでも舌を這わせ、新たに溢れる愛液を味わっていると、

「出るわ……」

蘭子が息を詰めて言うなり、すぐにもチョロチョロと熱い流れがほとばしってきた。光一は口に受けて味わい、夢中で飲み込んだ。

やはり味も匂いも淡く控えめで、抵抗なく喉を通過した。

「アア……」

蘭子も熱く喘ぎながら勢いを増して放尿を続け、光一は口と肌に熱い流れを受け止めながらゾクゾクと興奮し、次はどのように射精しようかと思った。

やがて流れが治まると、彼は残り香の中で余りの雫をすすった。

「もういいわ、続きはベッドで……」

蘭子が股間を引き離して言い、やはりもう一度してくれるつもりらしいので彼

は胸を高鳴らせた。

二人でもう一度シャワーを浴びてから身体を拭き、一緒に部屋のベッドに戻っていった。

「お尻、痛くない？」

「ええ、まだ違和感があるけど大丈夫。やはり前の方がいいわ」

訊くと蘭子が答え、やがて彼女は光一を仰向けにさせた。

そして大股開きにさせた真ん中に腹這い、熱い息を弾ませて顔を寄せてきたのだった。

第四章　熱く疼く熟れ肌

1

「ああ……、き、気持ちいい……」

光一は、蘭子に舐められて喘いだ。彼女は光一の両脚を浮かせ、尻の谷間を舐めてくれたのだ。

そしてチロチロと舌先で肛門をくすぐり、自分がされたようにヌルッと潜り込ませてきたのである。

「あう……」

光一は妖しい快感に呻き、思わずキュッと肛門で蘭子の舌先を締め付けた。

熱い鼻息が陰嚢をくすぐり、中で舌が蠢くたび、まるで内側から刺激されたように勃起したペニスがヒクヒクと上下に震えた。

さらに蘭子は舌を出し入れさせるように動かしたので、何やら美女の舌に犯されているようだった。

ようやく蘭子が舌を離して彼の脚を下ろし、鼻先にある陰嚢にしゃぶり付いてきた。二つの睾丸を舌で転がし、袋全体を生温かな唾液にまみれさせると、前進して肉棒の裏側を舐め上げた。

滑らかな舌が先端まで来ると、彼女は指で幹を支え、粘液の滲む尿道口をチロチロと探り、張り詰めた亀頭をくわえてきた。

そのままスッポリと喉の奥まで呑み込んでいくと、

「アア……」

光一は、温かく濡れた美人教師の口腔でヒクヒクと幹を震わせて喘いだ。

蘭子も幹を丸く締め付けて吸い、熱い鼻息で恥毛をそよがせながら、口の中ではクチュクチュと舌が蠢いた。

快感に任せ、思わず彼がズンズンと股間を突き上げると、

「ンン……」

蘭子が小さく呻き、自分も顔を上下させスポスポと摩擦してくれた。

やはり一度目の射精を終えて正解だったようだ。最初から、こんなに濃厚なおしゃぶりをされたら、すぐにも暴発していたことだろう。

それでも、光一は急激に高まってきた。

「い、いきそう……」

絶頂を堪えて言うと、すぐ蘭子もチュパッと音を立てて口を離した。

「今度は前の中に出して」

「ええ、最後は上になって下さい……」

言うと彼女も身を起こして前進し、先端に割れ目を押し当ててくれた。

位置を定めると息を詰め、蘭子はゆっくり腰を沈め、彼自身もヌルヌルッと滑らかに根元まで呑み込まれていった。

「アア……、いい気持ち……」

蘭子が顔を仰け反らせて喘ぎ、形良い乳房を揺すりながら、味わうようにキュッキュッと締め上げてきた。やはりアナルセックスよりも、正規の場所が最高らしい。

光一も肉襞の摩擦と締め付け、温もりと潤いに包まれながら快感を味わった。

やがて彼女がグリグリと股間を擦り付けてから、ゆっくり身を重ねてきたので光一も両手を回して抱き留め、両膝を立てて蠢く尻を支えた。

彼の胸に乳房が密着して弾み、蘭子は上からピッタリと唇を重ねてきた。

(唾を出して、いっぱい……)

舌をからめながら思うと、蘭子もたっぷりと唾液を分泌させ、トロトロと口移しに注ぎ込んでくれた。

光一は生温かく小泡の多い唾液を味わい、うっとりと喉を潤して酔いしれた。

堪らずにズンズンと股間を突き上げはじめると、

「ああ……、感じる……」

蘭子も口を離して喘ぎ、動きを合わせてきた。

大量に溢れる愛液が彼の肛門の方にまで生温かく伝い流れ、シーツにも沁み込んでいった。

「い、いきそう……」

「いいわ、いきなさい」

すっかり高まって口走ると、蘭子も答えながら激しく股間を擦り付けた。コリコリする恥骨の膨らみまで痛いほど伝わり、彼は締め付けと果実臭の吐息の中で激しく昇り詰めてしまった。

「き、気持ちいい……！」

言いながら大きな絶頂の快感に貫かれ、彼はありったけの熱いザーメンをドクンドクンと勢いよくほとばしらせた。

「か、感じる……、アアーッ……！」

やはり奥深い部分に熱い噴出を感じた途端、蘭子もオルガスムスのスイッチが入ったように声を上げ、ガクガクと狂おしい痙攣を開始したのだった。

しかも彼女は、光一の絶頂快感も同時に味わっているのだろう。

彼自身は膣内の収縮と摩擦で揉みくちゃにされながら、心ゆくまで快感を味わい、最後の一滴まで出し尽くしていった。

「ああ……、蘭子先生……」

光一は深い満足の中で口走りながら、ゆっくりと力を抜いて突き上げを弱めていった。

「アア……、すごい……」

蘭子も声を洩らし、グッタリと彼にもたれかかってきたが、ヒクヒクといつまでも肌の震えが治まらないようだった。

膣内もキュッキュッと締まり、過敏になった幹がヒクヒクと跳ね上がり、彼は美人教師の甘酸っぱい吐息で鼻腔を満たし、うっとりと快感の余韻に浸り込んでいったのだった。

「男の絶頂は短いのね……。私が、どんなに気持ち良かったか分かる……？」

蘭子が、近々と顔を寄せて囁いた。

「と、とても恐くて覗けません……」

「そうね、男には堪えられないかも」

光一が答えると、蘭子も納得したように言った。

恐らく女のオルガスムスというのは、出産の激痛と相殺されるほど大きな快感なのだろう。

やがて重なったまま呼吸を整えると、蘭子はそろそろと身を起こして股間を引き離した。そしてティッシュで割れ目を拭いながら屈み込み、愛液とザーメンにまみれ湯気さえ立てている亀頭にしゃぶり付いてくれた。

「あう、も、もう……」

光一はクネクネと腰をくねらせて呻き、過敏に幹をヒクつかせた。

蘭子も、彼の感覚を読み取ったようで、納得したように口を離した。

そしてベッドを降りるともう一度シャワーを浴びにゆき、彼は仰向けで放心しながら水音を聞いていた。

すぐに蘭子が戻り、手早く身繕いをした。

「じゃ帰るわね」

「ええ、有難うございました。ではまた明日学校で」

光一が身を起こして言うと、蘭子は出ていった。

彼も起きて玄関ドアをロックし、シャワーを浴びてから夕食を済ませ、蘭子との行為にいつまでもぼうっとしながら早めに寝たのだった……。


――翌日、金曜の朝、もちろん蘭子は何事もなかったように普段通りにホームルームで出席を取った。

もう光一も、しっかりと彼女を見ることが出来るようになっていた。

真治も勇太も昨日と同じ、不気味なほど静かにしていた。

(そうだ。今日は蘭子先生と美雪先生、夕食のあと女同士で戯れるんだ……)

光一は覗いてみたい衝動に駆られたが、もちろん盗撮などお願いするわけにもいかない。

あとで蘭子か美雪に会えば、その心を読んで大体の行為は分かることだろう。美人教師二人が快楽を分かち合うのだから、それを思うと光一の股間は熱くなった。

残るは小夜子しかいないので、彼は午前中の授業を終えると、昼休みに保健室に寄ってみた。すると小夜子は持参の弁当で昼食を取っていた。

「まあ、青井君」

「済みません、食事中に。すぐ済みます。今日授業のあと会えませんか」

光一は、自分もストレートに口に出せるようになったのだなと思いながら言うと、小夜子は顔を輝かせた。

「そう！　嬉しいわ。私も連休前に会いたかったの。じゃ三時過ぎに校門から少し離れたところに車を停めて待っているから、すぐ来てね」

「分かりました。六時限目の授業を終えたらすぐ向かいますので。じゃ」

小夜子が勢い込んで言い、光一は答えた。そして一礼して、すぐ保健室を出たのだった。

(今日は、校内じゃなく部屋でゆっくり小夜子先生を抱けるんだ……)

光一は胸を高鳴らせながら学食で昼食を終え、午後の授業も無事に済ませたのだった。

そして放課後になると、彼はいそいそとカバンを持って一階に下り、靴を履き替えて下校した。

校門を出て少し坂を下ると、すでに小夜子の軽自動車が停まっている。

周囲には、特に下校する生徒もいなかった。

光一が素早く助手席に乗り込むと、小夜子は甘ったるい匂いを漂わせながら、すぐにも車を走らせたのだった。

2

「前を走るの、保健の松宮先生の車だわ。助手席に誰か乗ってるみたい」

ハンドルを繰りながら美雪が言い、蘭子も見てみたが、すぐに光一だと分かった。今日は二人でレズ行為に耽ることを知っているので、彼も堪らず小夜子と会うことにしたのだろう。

運転している美雪も、もう前の車など気にせず、期待と興奮に包まれているようだった。

それに間もなく独身寮に着いたので美雪は停め、小夜子の車はそのまま市街へと向かっていった。

やがて美雪と蘭子は、車を降りて独身寮に入った。

週末なので、他の住人たちは実家にでも帰ったらしく静かだった。

蘭子は、まず自室にバッグと上着だけ置くと、招かれるまま美雪の部屋に上がり込んだ。

造りは同じだが、長く住んでいるぶん美雪の部屋の方が生活用品や本が多い。

「まだ夕食には早いし、ゆうべ作ったシチューを煮込むだけだから、その前にシャワー浴びてくるわね」

美雪は相当緊張しているように言い、そそくさとバスルームに入っていった。

一緒に下校するときから激しく期待を膨らませ、すでに濡れているのかも知れない。

蘭子は椅子に座り、英語の本の多い本棚の背表紙を眺めた。

別に女同士の行為に嫌悪感はない。

もちろん経験は無いが、それなりの好奇心もあり、それに美雪の心を覗けば快感や悦びも伝わってくることだろう。

気が急くように、すぐにも美雪がバスルームから出てきた。

メガネを外し、体にはバスタオルを巻き付けている。

「じゃ私もお借りするわね」

蘭子が腰を浮かせて言うと、美雪が慌てて押しとどめてきた。

「お、大月先生はそのままでいいの。初めてだから、自然のままの匂いを知りたいし」

美雪が勢い込んで言うので、まるで光一の性癖が移ったみたいだと蘭子は心の中で苦笑した。

「それに、校内じゃないから大月先生じゃなく蘭子さんて呼んでいい?」

「ええ、年上なのだからタメ口にして下さい。美雪さん」

蘭子が答えると、彼女は嬉しげに身を寄せてきた。

「脱がせてあげるわ」

「いえ、自分で脱ぎますので」

蘭子は自分で手早くブラウスのボタンを外して脱ぎ、スカートとブラ、パンストとショーツまで全て脱ぎ去ってしまった。

すると美雪もバスタオルを外し、互いに一糸まとわぬ姿になると、蘭子をベッドに誘ってきた。

枕カバーもシーツも清潔なので、今朝全て準備していたのだろう。

「見せて……」

美雪が緊張と興奮に声を震わせて言い、蘭子をうつ伏せにさせた。

蘭子が腹這いになって背中と尻を晒すと、美雪が顔を寄せてきた。

「綺麗だわ……」

美雪はうっとりと言い、タトゥーの背にそっと手を這わせた。

心の中では、蘭子の生い立ちや彫り物の経緯などへの興味が渦巻いているが、それ以上に久々の女同士による行為に夢中になっているようだった。

そして美雪は、昨日光一がしたように、マリア観音に唇を重ねてきたのだ。

「く……」

思わず蘭子は顔を伏せたまま呻き、ピクンと反応した。

熱い息が背中をくすぐり、やはり光一よりもソフトタッチで実に繊細な触れ方である。

美雪はチロチロと舌を這わせ、当然ながら刺青の色が落ちないことを確認すると、次第に夢中になって背中を舐め回しはじめた。

「アア……」

蘭子が喘ぐと、

「嬉しいわ、感じてくれて」

美雪は息を弾ませて言い、肩から背中、脇腹から腰あたりまで舌を這わせていった。そして美雪の指がムッチリと尻の谷間を広げ、真ん中に熱い視線が注がれてきた。

「なんて綺麗な……」

美雪が言い、チロチロと蕾に舌を這わせてきた。充分に唾液に濡れると、光一がしたようにヌルッと舌先が浅く潜り込んだ。

「あう……」

蘭子は呻き、思わず同性の舌を肛門でキュッと締め付けた。

美雪は尻の谷間に息を籠もらせ、潜り込んだ舌を蠢かせていた。心を覗くと、もちろん彼女の内面は悦びに包まれていた。

やがて美雪が体を起こすと、

「じゃ仰向けに」

言われて蘭子も寝返りを打ち、仰向けになっていった。

美雪は移動すると、上から蘭子に顔を寄せてきた。

「キスしてもいい？」

「ええ、いちいち言わず好きにして構いませんので」

「そう、嬉しい……」

蘭子が答えると、美雪は上気した顔を輝かせ、ピッタリと唇を重ねてきた。

薄目になって互いを見つめ合うと、熱い息が混じって鼻腔が湿った。

美雪の舌が潜り込み、慈しむように歯並びを舐めてきたので蘭子も歯を開いて舌を触れ合わせた。

「ンン……」

美雪は感極まったように熱く呻き、チロチロと舌をからめながら、蘭子の乳房にも手を這わせてきた。

美雪の口臭も体臭も不快ではないので、バスルームで念入りにケアしたのだろう。熱い吐息は淡い花粉臭に、ほのかに歯磨きのミント臭も混じって鼻腔を刺激してきた。

美雪の心を読むと、蘭子の吐息も不快ではなく、むしろ彼女は貪るように蘭子の果実臭を嗅いで興奮を高めていた。

女同士による長いディープキスが終わると、美雪は首筋を舐め降りてチュッと蘭子の乳首に吸い付いてきた。

やはり光一と違い性急にならず、触れるか触れないかという微妙なタッチが女らしかった。まあ明日は休みで、時間は山ほどあるのだ。

美雪は息を弾ませ、蘭子の両の乳首を舌で転がしては、次第に強く吸い付いて顔中を膨らみに擦り付けてきた。

「アア……」

蘭子も熱く喘ぎ、時に美雪は自分の膨らみも押し付け、乳首と乳房を擦り合わせた。

「ああ、気持ちいいわ……、蘭子さんも感じてるのね……」

美雪は上気した顔で喘ぎ、さらに蘭子の肌を舐め降りていくと、股を開かせ、とうとう股間に顔を寄せてきたのだった。

「嬉しい、こんなに濡れて……、それに綺麗な色……」

美雪が蘭子の割れ目に近々と迫って言い、陰唇を指で広げると内部を隅々まで観察した。

そして顔を埋め込み、茂みに鼻を擦りつけながら舌を這わせてきたのだ。

美雪の心を読んだが、やはり特に不快な匂いとは感じていないようだ。

それより彼女の悦びが伝わり、クリトリスを舐められると快感が増し、新たな愛液が溢れてくるのが自分で分かった。

さすがに女同士だと感じる部分を熟知し、クリトリスばかり執拗に愛撫せず、陰唇の内側や膣口、たまに焦らすように離れて内腿を舐めた。

「ね、蘭子さん、嫌じゃなかったら私のも……」

「嫌じゃないです」

美雪が欲望を高めて言うので、蘭子が答えると、彼女は自分の股間を蘭子の顔に迫らせ、互いの内腿を枕にした女同士によるシックスナインの体勢になっていった。

蘭子も、鼻先に迫る濡れた割れ目を見つめ、厭わずにチロチロとクリトリスに舌を這わせていった。

「ンンッ……！」

美雪も彼女のクリトリスに吸い付きながら熱く呻き、クネクネと身悶えた。

互いに最も感じる部分を舐め合い、それぞれの股間に熱い息が籠もった。

美雪の茂みには湯上がりの匂いが籠もり、ピンクの柔肉や光沢あるクリトリスも実に清潔で抵抗はなかった。

「ああ、いきそう……、一緒にいきたいわ……！」

すっかり高まった美雪が喘ぎ、腰をくねらせながら再び蘭子のクリトリスに吸い付いた。

バイブなどは使用せず、あくまで舌によるクリトリスへの刺激だけで絶頂を迎えたいようだ。舐められても集中力を削ぐことなく、互いに感じる突起を貪り合うと、美雪の高まりを読み取った蘭子も絶頂を迫らせていった。

「い、いく……、アアーッ……！」

とうとう美雪が口を離して喘ぎ、あとは指で蘭子のクリトリスを擦りながら、ガクガクと狂おしい痙攣を開始したのだった。

「き、気持ちいい……、アアーッ……！」

蘭子も昇り詰めて声を上げた。蘭子は二人分の快感を得ているから、美雪以上に狂おしく身悶え続けたのだった。

3

「立ち入ったことを訊いてもいいかしら。嫌だったら答えなくていいのだけど」

夕食のシチューを食べながら、美雪が蘭子に訊いてきた。

互いに余韻を味わい、シャワーを浴びてから夕食にしたのだ。蘭子は彼女に借りたシャツと短パン姿で、美雪もタンクトップの軽装である。

ワインを飲み、シチューにバゲットだけだが実に旨かった。

「タトゥーのことね。構いません。タトゥーアーティストの祖父に、無理矢理彫られたんです。高一の夏休みに。死ぬ前に最後の仕事ということで。だから反社会的勢力とは何の関係もないです」

「そう、高一なんて辛いわね。それでご家族は？」

美雪は気の毒そうに、同情を寄せて訊いてくるが、別に蘭子も今はどうとも思っていなかった。

「誰もいません。天涯孤独だから自由の身です」

「でも消えないタトゥーなんて、辛い思いもしたのでしょうね」

「いえ、海水浴や温泉に行けないだけですので」

「そう……」

美雪は答え、気遣って話題を変えてきた。

「それにしても、不良たちが恐くないの？　よりによってこんな学校に赴任するなんて……」

「親しい教授が、うちの校長の先輩なので。それに連中も卒業までの間だし」

「入院中の高田は退学処分になったわ。噂では、刃物で襲われた蘭子さんが正当防衛で戦ったって。恐かったでしょう」

「ええ、噂じゃなく本当です。でも恐いと言うより、大学で地味な助教をするより生き生きして、何だか私にとって戦いは、セックスの快楽と同じぐらい夢中になれるものかも知れないです」

「まあ……、すごいわ……」

美雪は嘆息して言い、やがて二人は食事を終え、一緒に洗い物を済ませた。

もちろん美雪は、まだまだその気でいるし、蘭子も女同士の快楽に応じるつもりになっていた。

全裸になってベッドに戻ると、また二人で念入りなディープキスをしてから乳房を吸い合い、時に足裏でも互いの膨らみを愛撫した。

そして最も感じる部分を舐め合うと、お互いにすっかり大量の愛液を漏らしはじめた。

「またすぐいきそうだわ。こうして……」

美雪が頬を紅潮させて言い、互いの脚を交差させ、濡れた割れ目同士をピッタリと密着させた。

美雪は蘭子と違い、何ら挿入するための器具を使わずに果てるタイプらしい。

二人は、それぞれ相手の片方の脚を両手で抱えながら腰を動かし、割れ目同士を激しく擦り合わせた。

「アア、いい気持ち……」

美雪が喘ぎ、蘭子も高まってきた。

男と違って股間の突起がないから、交差した割れ目同士は吸盤のように吸い付き、愛液が混じり合ってクチュクチュと卑猥な音を立てた。

クリトリスも擦れ合い、たちまち美雪がガクガクと全身を揺すってオルガスムスに達した。

「い、いく……、アアーッ……！」

美雪が狂おしく悶えて喘ぐと、その快感が蘭子にも流れ込み、たちまち彼女も昇り詰めてしまった。

「あう、すごい……！」

蘭子は呻き、また二人分の快感に身悶え、精根尽き果てるまで快感を嚙み締めたのだった。

それでも美雪の快感まで感じているとはいえ、やはり蘭子は挿入による膣感覚のオルガスムスがないと、どうにも物足りない感じは否めなかった。

やがて激情の波が過ぎ去ると、二人は割れ目を合わせたままグッタリと力を抜いて余韻に浸り込んでいった。

「ね、今夜泊まっていって……」

荒い息遣いを整えながら美雪が言った。

「同じ寮だからといって、今後とも馴れ馴れしくはしないよう気をつけるので、今夜だけ……」

「ええ、いいですよ。一晩過ごしましょう」

「本当？」

蘭子が答えると、美雪は余韻が覚めるような勢いで顔を輝かせて言った。

「ええ、その代わり私からもお願いが」

「まあ、何かしら」

ようやく美雪が身を起こし、彼女の顔を覗き込むようにして訊いてきたので、蘭子も願いを口にしたのだった。

4

――それより数時間前、光一は小夜子の車で独身寮の前を通過し、市街に入っていった。

もう間もなく光一のアパートだが、彼は一つの提案をしてみた。

「ね、先生、僕の部屋じゃなく、町のラブホに入ってみたいんです」

「まあ、確かに一軒あるけど……」

言うと、小夜子は驚いたように答え、それでも興味を覚えたようだった。

市街の外れ、国道沿いにシティホテル風のラブホテルがあるのだ。

「僕のアパートではお風呂も狭いし、それに一度どんなものか体験してみたいんです」

「いいわ、町外れで目立たない場所だし、車ごと駐車場に入ればいいから」

小夜子は快諾してくれ、そちらに車を向けて加速した。

やはり小さなアパートで周囲に声を聞かれまいと気にするより、セックス目的の密室の方に惹かれたのだろう。それに彼女も、生徒のアパートに出入りすることに抵抗があるようだった。

「この紙袋は？」

「白衣よ。連休だからお洗濯するの」

「あとで、これ着て下さい。先生の白衣姿が好きだから」

「いいわ、五日分の匂いが沁み付いているけど」

小夜子は羞じらいながらも応じてくれた。

やがてラブホテルに着くと、そのまま小夜子は地下駐車場に入り込み、車を停めて二人は出て、光一は白衣の入った紙袋を持った。

エレベーターで一階のフロントまで上がるとパネルの空室ボタンを押し、小夜子が支払いをしてくれた。金曜だが、まだ明るい時間帯なのでほとんど空室のようである。

キイをもらうと再びエレベーターで五階まで上がり、ドア上のランプが点滅している部屋に入ると、内側からロックして完全な密室になった。

光一は胸を高鳴らせながら、初めて入ったラブホテルの部屋を物珍しげに見回した。

ダブルベッドに小さなテーブルとソファ、テレビに冷蔵庫に飲み物の販売機などが機能的に配置されている。

脱衣所からバストイレまで順々に確認していくと、やはりバスルームの洗い場は広かった。

すると彼女も来てコックを捻り、バスタブに湯を溜めはじめた。

三十九歳の小夜子は、今まで一度や二度はラブホテルに入ったことがあるのだろう。

部屋に戻ると、小夜子がいきなり彼を抱きすくめ、耳元で熱く囁いた。

「ね、お風呂はあとにしましょう。すぐしたいの」

「ええ、でも僕だけ先にシャワーを……」

「ダメよ、男の子の匂いが好きなの」

いつもと逆のパターンになっているが、小夜子がナマの匂いのままさせてくれるのは嬉しいことだ。

やがて小夜子は、濃厚に甘ったるい匂いを漂わせながら身を離し、自分から手早く脱ぎはじめた。

光一も全て脱ぎ去り、先に全裸になってベッドに横たわった。

小夜子もためらいなく最後の一枚を脱ぎ去り、白く豊満な熟れ肌を露わにさせた。やはり校内と違い、一糸まとわぬ姿が見られるのは嬉しく、彼の興奮は激しく高まった。

「それ、羽織って下さい」

光一が言うと、小夜子も紙袋から白衣を取り出して羽織り、向き直ると巨乳がはみ出して揺れた。

「さあ、何でも好きなようにしていいわ」

彼女が添い寝して言い、身を投げ出してくれた。

光一も息を弾ませてのしかかり、白衣を左右に開いてから息づく巨乳に顔を埋め込んでいった。

甘ったるい匂いに生ぬるく鼻腔を刺激されながら、チュッと乳首に吸い付いたが、母乳はほんの僅かしか滲んでこなかった。

「あんまり出ない……」

「ええ、そろそろ出なくなる頃なの」

言うと彼女が答え、残念だが仕方なく光一は目の前の熟れ肌に専念した。

あらためて乳首を含んで舌で転がし、もう片方を探りながら顔中で柔らかな膨らみを味わった。

「アアッ……、いい気持ち……！」

小夜子も校内ではないから遠慮なく喘ぎ声を上げ、クネクネと悶えながら彼の髪を撫で回した。

光一も左右の乳首を交互に吸って舐め回し、さらに乱れた白衣の中に潜り込んで腋の下に鼻を押し付けていった。

色っぽい腋毛は生ぬるく湿り、濃厚に甘ったるい汗の匂いが鼻腔を刺激し、さらに白衣に染み付いた体臭も混じって彼の頭の中まで掻き回した。

そして充分に嗅いでから滑らかな肌を舐め降り、臍を探ると腰から脚を舐め降りていった。

体毛のある脛も艶めかしく、彼は足首まで下りて足裏に回り込むと、踵から土踏まずを舌で探り、指の間に鼻を押し付けて嗅いだ。

指の股は、やはり生ぬるい汗と脂に湿り、ムレムレになった匂いが濃く沁み付いて鼻腔が刺激された。

爪先にしゃぶり付き、舌を割り込ませて味わうと、

「あう、ダメよ、汚いから……」

小夜子がビクッと反応して呻いたが、自分からシャワーを浴びずにはじめたので拒みはしなかった。

彼は両足ともしゃぶり、全ての味と匂いが薄れるまで貪り尽くしてしまった。

大股開きにさせて白衣の裾を広げると、脚の内側を舐め上げ、白くムッチリと量感ある内腿をたどって割れ目に迫っていった。

黒々と艶のある恥毛の下の方は愛液の雫を宿し、割れ目から内腿にまで糸を引いていた。

堪らずに顔を埋め込み、柔らかな茂みに鼻を擦りつけて嗅ぐと、濃厚に蒸れた汗とオシッコの匂いが悩ましく鼻腔を満たしてきた。

「いい匂い」

「あう……!」

嗅ぎながら思わず言うと、小夜子が呻いてキュッと内腿で彼の顔をきつく挟み付けた。光一は舌を挿し入れ、大洪水になっているヌメリをすすり、息づく膣口

の襞を探ってからクリトリスまで舐め上げていった。

「アアッ……、いい……！」

小夜子が身を弓なりにさせて喘ぎ、内腿に力を込めて悶えた。

味と匂いを堪能すると、さらに彼女の両脚を浮かせ、ボリューム満点の白い尻に迫った。

レモンの先のように僅かに突き出たピンクの蕾に鼻を埋めて嗅ぐと、蒸れた匂いが鼻腔を掻き回し、顔中に弾力ある双丘が密着した。

舌を這わせて濡らし、ヌルッと潜り込ませると、

「く……」

小夜子が呻き、モグモグと肛門で舌先を締め付けた。

滑らかな粘膜は淡く甘苦い味覚があり、光一は舌を出し入れさせるように動かした。

さらに口を離して脚を下ろすと、彼は左手の人差し指を唾液に濡れた肛門に潜り込ませ、右手の指も膣口に挿し入れていった。

「あう、そこは指を二本にして……」

さすがに三人の子持ちである小夜子は言い、光一もあらためて二本の指を膣口

に押し込んだ。

そして、それぞれ前後の穴に入れた指を蠢かせて小刻みに内壁を擦りながら、クリトリスに吸い付くと、

「アア……、気持ちいいわ……！」

感じる三箇所を同時に攻められ、小夜子が熱く喘ぎ、前後の穴できつく指を締め付けてきた。

光一も、腹這いで両手を縮めているので痺れそうになるが、あまりに彼女が悶え、喜悦の声を上げるので延々と愛撫した。

「ダメ、いきそうよ、お願い、本物を入れて……」

やがて指と舌で果ててしまうのを惜しむように彼女が言うので、光一も舌を引っ込め、前後の穴からヌルッと指を引き抜いてやった。

膣内にあった二本の指は白っぽく攪拌《かくはん》された愛液にまみれ、指の間には膜が張るほどだった。しかも指の腹は湯上がりのようにふやけてシワになり、淫らに湯気さえ立てていた。

肛門に入っていた指は汚れの付着もなく、爪にも曇りはなかったが、嗅ぐとほのかなビネガー臭が感じられた。

光一は身を起こして股間を進め、幹に指を添えると先端を割れ目に擦り付け、充分にヌメリを与えてから膣口に挿入していった。

張り詰めた亀頭が潜り込むと、あとは滑らかにヌルヌルッと根元まで吸い込まれた。

「あう……、すごいわ、奥まで届く……」

小夜子が顔を仰け反らせて口走り、若いペニスを味わうようにキュッキュッと締め付けてきた。

光一は股間を密着させ、温もりと感触を味わいながら豊満な熟れ肌に身を重ねていった。遠慮なくのしかかると胸の下で巨乳が押し潰れ、心地よい弾力が伝わってきた。

「アア……」

小夜子が感極まったように喘ぎ、下から両手でしっかりと彼を抱き留めた。

光一は上からピッタリと唇を重ねてゆき、熱い鼻息で鼻腔を湿らせながら、舌を挿し入れていくと、彼女も歯を開いて受け入れ、チロチロと執拗に舌をからめてきた。

生温かな唾液に濡れ、滑らかに蠢く舌が何とも美味しく、堪らずに腰を突き動かしはじめると、小夜子もすぐにズンズンと股間を突き上げ、リズムを合わせてきた。

「アア……、なんて気持ちいい……」

小夜子が口を離し、淫らに唾液の糸を引きながら収縮と潤いを増していった。

喘ぐ口から洩れる吐息は火のように熱く、甘い白粉臭に、ほのかなオニオン臭も混じって彼の鼻腔を掻き回してきた。

いつしか光一も股間をぶつけるように激しく律動し、心地よい肉襞の摩擦に高まっていった。

動きに合わせてクチュクチュと湿った音が響き、揺れてぶつかる陰嚢も生ぬるく濡れ、互いの股間がビショビショになった。

「い、いきそう……」

光一が絶頂を迫らせて口走ると、

「いいわ、いっぱい出して、私もいく……!」

小夜子も声を上ずらせ、そのままガクガクと狂おしい痙攣を開始したのだ。

「い、いい気持ち……、アアーッ……!」

彼女が声を上げ、激しいオルガスムスに収縮を強めたので、たちまち光一も巻き込まれるように絶頂に達してしまった。

「く……！」

快感に貫かれながら短く呻き、熱い大量のザーメンをドクンドクンと勢いよく注入すると、

「アア、もっと……！」

噴出を感じた小夜子が駄目押しの快感に喘ぎ、きつく締め付け続けた。

やはり誰が来るとも分からない校内と違い、彼女も遠慮なく声を上げて大きな絶頂を得ていた。

時にブリッジするように身を反り返らせて腰を跳ね上げるので、光一も抜けないよう必死にしがみついて動きを合わせ、心置きなく最後の一滴まで出し尽くしていった。

満足しながら動きを弱め、体重を預けていくと、

「ああ……、すごかった……」

小夜子も熟れ肌の硬直を解いて満足げに言うと、次第に力を抜いてゆき、グッタリと身を投げ出していった。

まだ膣内はキュッキュッと名残惜しげな収縮が呼吸するように繰り返され、光

一も刺激されながらヒクヒクと過敏に幹を跳ね上げた。

そしてもたれかかり、熱く濃厚な吐息を間近に嗅ぎながら、うっとりと快感の余韻に浸り込んでいったのだった。

5

「ね、顔に跨がって……」

バスルームで互いの身体を洗い流すと、光一は広い洗い場にエアマットを敷いて仰向けになり、小夜子に言った。

ちょうどバスタブに湯も張られて湯気が籠もり、脂が乗って湯を弾く小夜子の熟れ肌を見て、すぐにも彼自身はムクムクと回復してきた。

「こう……？」

まだ時間もあるので、小夜子も興奮をくすぶらせながら身を寄せてきた。

そして彼の顔に跨がると、小夜子は和式トイレスタイルでゆっくりしゃがみ込んでくれた。

白衣も脱いでいるので、あらためて光一は真下から全裸の美熟女を見上げた。

恥毛の匂いは薄れたが、割れ目内部は新たな愛液が湧き出している。

「オシッコして」

「まあ、顔にかかるわよ」

「うん、それでもいい」

彼は答え、豊満な腰を抱き寄せて割れ目を舐め回した。

「アア……、口に入るわ……、出そうよ、いいの……？」

小夜子は喘ぎながら腰をくねらせ、尿意が高まったように言った。

舐めていると泉のような愛液に舌の動きがヌラヌラと滑らかになり、たちまち奥の柔肉が迫り出すように盛り上がった。

「あう、出ちゃう、知らないわよ……」

彼女が息を詰めて言うなり、味わいと温もりが変化し、たちまちチョロチョロと熱い流れが彼の口に注がれてきた。

「アア……、生徒にこんなことするなんて……」

光一の口に泡立つ音を聞き、小夜子が声を震わせながら、次第に勢いを付けて放尿した。

彼は溢れる液体を味わい、少しだけ喉に流し込んだが、もちろん抵抗はない。

味も匂いもやや濃いめで、勢いが増すと口から溢れた分が頰を温かく伝い流れ両耳にも入ってきた。

量も多くて彼は危うく溺れそうになってしまったが、ようやく勢いが衰えると間もなく流れは完全に治まってしまった。

光一はあらためて匂いに酔いしれ、滴る余りの雫をすすった。すると新たに溢れる愛液の淡い酸味が、悩ましく割れ目内部に満ちていった。

「ああ、もうダメ……」

また高まった小夜子が言い、股間を引き離した。

そして光一を大股開きにさせて腹這うと、彼は自ら両脚を浮かせて抱え、尻を突き出した。

「ね、お尻舐めて……」

甘えるように言うと、すぐにも小夜子が顔を寄せて舌を伸ばし、チロチロと肛門を舐め回してくれた。そしてヌルッと潜り込ませると、

「あう、気持ちいい……」

光一は呻き、キュッと肛門で美熟女の舌先を締め付けた。

小夜子も熱い鼻息で陰嚢をくすぐりながら、執拗に内部で舌を蠢かせてくれ、

完全に元の硬さと大きさを取り戻したペニスがヒクヒクと歓喜に上下して粘液を滲ませた。

ようやく脚が下ろされると、小夜子は舌を引き離して陰嚢をしゃぶり、二つの睾丸を舌で転がした。チュッと強く吸われるたび、

「く……」

急所なので、思わず彼は呻いて腰を浮かせた。

「強かった？　ごめんね」

小夜子は言い、ソフトな吸引に切り替えて舐め回し、袋全体を生温かな唾液にまみれさせてくれた。

そして顔を進め、いよいよ肉棒の裏側をゆっくり舐め上げ、先端まで辿り着くと粘液の滲む尿道口を舌で探った。さらに張りつめた亀頭をくわえると、モグモグとたぐるように喉の奥まで呑み込んでいった。

「ああ……」

光一は快感に喘ぎ、美熟女の口の中で唾液にまみれたペニスを震わせた。

小夜子も幹を丸く締め付けて吸い、熱い息を股間に籠もらせながら、口の中ではクチュクチュと満遍なく舌をからませてくれた。

思わずズンズンと股間を突き上げると、

「ンン……」

小夜子も小さく呻きながら顔を上下させ、スポスポとリズミカルな摩擦を繰り返した。

「い、いきそう……」

絶頂を迫らせた光一が言うと、小夜子はすぐスポンと口を離した。

「お口に出す？　それとももう一度私の中に入れる？」

「女上位で跨いで欲しい……」

訊かれて答えると、小夜子も身を起こして前進し、彼の股間に跨がってきた。先端に濡れた割れ目を擦り付け、位置を定めると息を詰めてゆっくりと腰を沈み込ませていった。

小夜子も休日の前だから、続けて果てるのも厭わないようだ。それにせっかくラブホテルにいるのだから、口で受けるより、自分もとことん快楽を味わいたいのだろう。

たちまち彼自身は、ヌルヌルッと滑らかに根元まで呑み込まれ、彼女もピッタリと股間を密着させて座り込んだ。

「アア……」

小夜子が喘ぎ、キュッときつく締め上げてきた。そしていくらも上体を起こしていられず、すぐにも身を重ねてきたのだ。

光一も両手を回して抱き留め、両膝を立てて豊満な尻を支えた。

潜り込んで乳首に吸い付くと、濃厚だった体臭は洗い流されてしまったが、また少しだけ母乳が滲み出ていた。

夢中になって吸い付き、薄甘い母乳で喉を潤すと、

「美味しい……?」

小夜子が囁き、自ら乳首を摘んで余りを絞り出してくれた。前の時ほどポタポタと滴らないが、彼は舌を這わせて舐め取り、恐らく小夜子から出る最後の母乳を味わった。

「ああ、いい気持ちよ……」

彼女も両の乳首から母乳を絞り尽くして喘ぎ、待ち切れないように腰を動かしはじめた。

光一もズンズンと股間を突き上げると、すぐにも互いの動きが一致し、乾く間もなくヌメリにピチャクチャと摩擦音が聞こえてきた。

彼女は収縮を繰り返しながら、粗相したように大量の愛液を漏らして動いた。

光一もジワジワと絶頂を迫らせながら小夜子と舌をからめ、熱く濃厚な吐息に酔いしれた。

「しゃぶって……」

彼は言い、小夜子の喘ぐ口に鼻を押し込んだ。

すると彼女もチロチロと鼻の穴を舐め回し、光一は唾液と吐息の匂いに激しく高まった。

「い、いく……！」

たちまち彼は昇り詰めて口走り、大きな快感の中でありったけの熱いザーメンをほとばしらせてしまった。

「アア……、いいわ……！」

噴出を感じた小夜子も声を上げ、ガクガクと狂おしいオルガスムスの痙攣を開始したのだった。収縮と締め付けも、まるで彼の全身を吸い込もうとするように激しかった。

光一は快感を噛み締め、心置きなく最後の一滴まで出し尽くし、満足しながら突き上げを弱めていった。

「ああ……、溶けてしまいそう……」

小夜子も声を洩らし、強ばりを解きながらグッタリと身を預けてきた。

重なったまま荒い息遣いを混じらせ、彼はまだ息づく膣内でヒクヒクと過敏に幹を震わせた。

そして光一は悩ましい白粉臭を含む美熟女の吐息を胸いっぱいに嗅ぎながら、うっとりと余韻を味わったのだった……。


――やがて光一と小夜子は一緒に湯に浸かってから身体を拭き、バスルームを出て身繕いをした。

そして地下駐車場から車に乗り、ラブホテルを出たが特に知った顔は見当たらず、それにすっかり日が暮れて暗かった。

そのまま彼は、小夜子の車でアパートの前まで送ってもらった。

「じゃまた月曜に学校でね」

「ええ、先生も気をつけて帰って下さい」

彼は答え、走り去る車を見送ってから自室に戻った。

学生服を脱いで着替え、レトルト食品をチンして夕食も済ませた。

（そうだ。蘭子先生は、美雪先生と女同士で楽しんでいるのかな……）

光一は思い、もちろんオナニーなどはせず、少しだけネットをしてから早めに寝ることにした。

そういえば蘭子の着任以来、毎日生身の女体に接しているので、奇蹟のように全くオナニーしていない日々が続いていた。

と、枕元のスマホがラインの着信を報せてきた。

見ると、何と蘭子からではないか。

『明日、昼食を終えたら独身寮に来られる？』

そう書かれていたので、光一は嬉々としてＯＫの返信をした。

（明日の土曜も、何か良いことがあるんだ……）

彼は思い、期待に胸を膨らませながら眠りに就いたのだった。

第五章　二人がかりの宴

1

「いらっしゃい。入って」

光一が昼過ぎに独身寮を訪ねると、すぐに蘭子がドアから顔だけ出して出迎えてくれた。

彼は期待に早起きしてしまい、待ち遠しい思いで午前中を過ごしていたのだ。

そして昼食を終えると、歯磨きとシャワーを済ませ、いそいそと出てきたのである。

初めて入る蘭子の部屋だ。ワンルームの中はシンプルで、キッチン以外はベッドと学習机に本棚だけである。あとはバストイレだろう。

しかし蘭子の部屋に入った感激など吹き飛ぶほど、彼は室内を見て驚きに目を丸くした。

何と蘭子は何も着けておらず、しかもベッドには同じく全裸の美雪が座っているではないか。

「え……？」

光一が興奮と混乱に戸惑っていると、蘭子が口を開いた。

「ゆうべは美雪先生のお部屋に泊まって、今日はブランチを終えてから、私の部屋に移動してきたのよ。美雪先生にもお願いして、君を参加させる許可はもらったわ。さあ、君も早く脱いで」

それがルールだと言わんばかりで、彼も緊張しながら服を脱いで全裸になっていった。

どうやら、これから三人で出来るらしいのだ。

蘭子の部屋に来られた感激と、全裸の美人教師たち、しかも二人は昨夜女同士で戯れていたのだから、彼は頭がついていかなかった。

すでに室内には、二人の美女の匂いが混じり合って立ち籠め、頭は戸惑っていても彼自身はムクムクと最大限に勃起していった。

「本当に不思議だわ、蘭子先生の好みが真面目なガリ勉タイプだったなんて。もっと自分より強い男が好みと思っていたのだけど」

美雪が全裸にメガネだけ掛け、脱いだ彼を見つめながら言う。

「強い男は、好きになるより戦いたくなってしまうので」

蘭子が答えた。

要するに、光一は弱くて頼りないと言われているのだが、蘭子が好きになってくれれば彼はそれで幸せなのである。

「でも、やっぱり女同士より、ペニスを入れられたいのね」

「美雪先生だってそうでしょう。最後はやはり入れられたいので彼を呼んだの」

「いいわ、蘭子先生と一人の男を共有するのも」

女同士で話していたが、やがてメガネを外した光一はベッドに呼ばれ、真ん中に仰向けにさせられた。

「じっとしていて。まずは二人で好きにしたいの」

蘭子が言い、光一はようやく戸惑いから抜け、激しい興奮と期待に屹立した幹を震わせた。

すると美人教師たちが、左右から彼を挟みつけてきた。

二人は昨夜からずっと戯れ合い、少し眠っただけなのだろう。全身には互いの汗や唾液、愛液が沁み付き合い、シャワーも歯磨きすらしていないようで、どちらも濃厚で艶めかしい匂いを漂わせていた。同じ情事の残り香でも、ザーメンの匂いだけしていないのが良かった。

そっと美雪の心根を覗き込んでみると、女同士の様々な行為の思いや快感が伝わってきた。

やがて二人は同時に屈み込むと、彼の左右の乳首にチュッと吸い付いてきたのである。

「あう……」

光一はダブルの刺激に呻き、ビクリと硬直した。

二人分の熱い息に肌をくすぐられ、チロチロと舐められると否応なくクネクネと全身が悶えてしまった。

「アア、嚙んで……」

思わず言うと、二人も綺麗な歯並びでキュッと乳首を嚙み、甘美な刺激を与えてくれた。

「き、気持ちいい、もっと強く……」

さらにせがむと、二人もキュッキュッと咀嚼するように歯を立て、そのまま申し合わせたように肌を舐め降り、舌と歯で愛撫してくれた。

二人の美人教師に弄ばれるとは、何という贅沢だろう。

光一は肌を噛まれるたびウッと息を詰め、何やら二人の美女に全身を食べられていくような感覚に包まれた。

二人の唇は彼の脇腹から腰へ降りると、股間を後回しにして脚を舐め降りていった。

まるで日頃から光一が愛撫するパターンのようである。

そして二人は足首まで下りると、同時に彼の足裏を舐めてから、両の爪先にしゃぶり付き、厭わず指の股にも順々に舌を割り込ませてきたのだった。

「あう、いいですよ、そんなことしなくて……」

光一は申し訳ないような快感に呻いていったが、二人は構わずに濃厚な愛撫を止めずに続けてくれた。むしろ彼を悦ばせるより、自分たちが賞味したいかのようである。

両の爪先が、まるで生温かな泥濘《ぬかるみ》を踏むように唾液に濡れ、彼は美人教師たちの舌を爪先で摘んだ。

やがてしゃぶり尽くすと二人は口を離し、彼を大股開きにして脚の内側を舐め上げてきた。左右の内腿にもキュッと歯並びが食い込むと、

「く……！」

光一は甘美な痛みに呻き、勃起した先端から粘液を滲ませた。

二人は頬を寄せ合って股間に迫ると、蘭子が彼の両脚を浮かせて尻に迫った。

美雪の方が年上だが、ここでは蘭子が主導権を握っているようだ。

先に蘭子が光一の尻の谷間を舐め、その間、美雪は彼の尻の丸みにも歯を立ててきた。

ヌルッと舌が潜り込んで蠢くと、

「あう……」

光一は妖しい快感に呻き、キュッと蘭子の舌先を肛門で締め付けた。

蘭子も舌を動かし、やがて離れるとすぐにも美雪の舌が這い回り、同じように侵入してきたのだ。

「く……、気持ちいい……」

立て続けだと、それぞれの温もりや感触の違いが分かり、いかにも二人にされ

ているという実感が湧いた。

美雪も充分に舌を蠢かせてから引き離すと、ようやく脚が下ろされた。

二人は再び頬を寄せ合って顔を埋め込み、彼の陰嚢にしゃぶり付いた。

それぞれの睾丸が舌に転がされ、股間に混じり合った熱い息が籠もった。

たちまち袋全体は生温かなミックス唾液にまみれ、いよいよ二人は顔を進め、肉棒の裏側と側面を同時に舐め上げてきたのだ。

滑らかな舌が先端まで来ると、二人は交互に粘液の滲む尿道口をチロチロと舐め、同時に張り詰めた亀頭にもしゃぶり付いた。

互いの舌が触れ合っても、女同士で一晩中戯れたのだから全く気にならないのだろう。

さらに亀頭が交互に含まれ、念入りに舌をからめてからチュパッと離し、すかさずもう一人が深々と呑み込んで吸い付いた。

これも、代わる代わるに含まれるから、それぞれの温もりや感触の違いをじっくり味わうことが出来た。

「ああ、いきそう……」

すっかり高まった光一が降参するように言って腰をよじったが、二人は強烈な愛撫を一向に止めなかった。

一度射精させ、落ち着かせようというのかも知れない。もちろん光一も、相手が二人なら回復も二倍だろう。

二人が交互に含んでスポスポと摩擦するので、もう彼も我慢せず、下からも股間を突き上げ、たちまち昇り詰めてしまった。

「いく……、アアッ……！」

光一は絶頂の快感に喘ぎながら、熱い大量のザーメンをドクンドクンと勢いよくほとばしらせた。

「ンンッ……！」

ちょうど含んでいた美雪が喉の奥を直撃されて呻き、スポンと口を離すと、すかさず蘭子が含んで余りを吸い出してくれた。

「あう、すごい……」

吸引されると、魂まで吸い取られそうな快感に彼は呻き、心置きなく最後の一滴まで出し尽くしてしまった。

彼がグッタリとなると、蘭子も動きを停め、亀頭を含んだまま口に溜まったザーメンをコクンと飲み下した。そして口を離すと幹をしごき、なおも美雪と一緒に余りの雫の滲む尿道口をチロチロと舐め回してくれた。

もちろん美雪も、口に飛び込んだ第一撃は飲み込んでくれたのだろう。

「あうう、も、もういいです……」

先端を二人に舐められ、光一がクネクネと腰をよじって降参すると、ようやく二人も舌を引っ込め、顔を上げてくれたのだった。

2

「さあ、回復するまで二人で何でもしてあげるから言いなさい」

余韻の中で身を投げ出して荒い息遣いと動悸を繰り返している光一に、蘭子が言った。

何でもという言葉だけでも彼は、すぐ回復しそうに胸が高鳴ってしまった。

「じゃ、顔に足を乗せて……」

呼吸を整えながら言うと、蘭子と美雪はすぐにも身を起こし、彼の顔の左右にスックと立ってくれた。全裸の美人教師二人を、真下から眺めるのは何とも壮観である。

「こう?」

蘭子は言い、二人で片方の足を浮かせると、互いに体を支え合いながら同時に彼の顔に足裏を乗せてくれた。

「ああ……」

光一は激しい興奮に熱く喘いだ。

美人教師たちの足裏は顔中に密着し、彼はそれぞれに舌を這わせながら、形良く揃った指の間にも鼻を押し付けて嗅いだ。どちらも指の股は生ぬるい汗と脂に湿り、ムレムレの匂いが濃く沁み付いていた。

しかも二人分となると、蒸れた匂いが悩ましく鼻腔を掻き回してきた。

まさか二人の教師に顔を踏まれているなど、言ってもクラスの誰も信じないに違いない。

光一は微妙に異なる匂いを貪りながら、順々に爪先をしゃぶって全ての指の股に舌を割り込ませて味わった。

「あう……」

美雪が呻き、思わずバランスを崩してキュッと踏みつけてきた。

やがて足を交代してもらい、彼は二人分の新鮮な味と匂いを貪り尽くしたのだった。

「顔にしゃがんで」

さらに彼が真下からせがむと、

「私からでいい？」

美雪が言って跨がり、ゆっくりしゃがみ込んできた。

和式トイレスタイルで脚がM字になると内腿がムッチリと張り詰め、すでに大量の愛液に濡れた割れ目が光一の鼻先に迫った。

茂みに鼻を埋め込んで嗅ぐと、汗とオシッコの蒸れた匂いに、おそらくは蘭子の体液の匂いも混じっているのだろう、それらミックスされた匂いが濃厚に鼻腔を刺激してきた。

光一は美雪の匂いに噎せ返りながら、ムクムクと激しく回復し、舌を這わせて淡い酸味のヌメリを貪った。

膣口からクリトリスまで舐め上げると、

「アア……、いい気持ち……」

美雪が喘ぎ、新たな愛液を漏らしてきた。

彼は味と匂いを堪能してから、尻の真下に潜り込み、弾力ある双丘を顔中に受けながら、谷間の蕾に鼻を埋め、蒸れた匂いを嗅いだ。

そして舌を這わせて細かな襞を濡らし、ヌルッと潜り込ませて滑らかな粘膜を味わった。

「あう……」

美雪が呻き、モグモグと肛門で舌先を締め付けた。

やがて前も後ろも味わうと、美雪が蘭子のため腰を浮かせて場所を空けた。

すると蘭子もすぐに跨がってしゃがみ込み、濡れた割れ目を突き付けてきた。

光一は茂みに鼻を埋め、やはり濃厚に蒸れた匂いを貪りながら舌を這わせ、美雪に負けないほど溢れたヌメリをすすった。

「すごいわ、もうこんなに硬く……、先に頂くわね……」

すると彼の股間を見た美雪が言い、跨がってきたのだ。そして先端に濡れた割れ目を押し当て、ゆっくり腰を沈めてヌルヌルッと彼自身を膣口に受け入れていった。

「アア、いい……！」

美雪が完全に座り込んで喘ぎ、前にいる蘭子のタトゥーの背にしがみついた。

彼の顔と股間に美人教師たちが座り込んでいるというのも、夢のような状況であった。

光一も、蘭子の匂いに酔いしれ、必死にクリトリスに吸い付きながら、美雪の温もりと締め付けに包まれて快感を高めた。

さらに蘭子の尻の真下に潜り込み、可憐な蕾に籠もる蒸れた匂いを嗅いでから舌を這わせ、ヌルッと差し入れると、

「く……」

蘭子が呻き、キュッと肛門で舌を締め付けてきた。

その蘭子の背にしがみつきながら、美雪が徐々に腰を動かし、何とも心地よい摩擦を開始した。クチュクチュと淫らに湿った音が聞こえ、溢れた愛液が彼の肛門の方にまで生温かく伝い流れた。

しかし、たったいま強烈なダブルフェラで果てたばかりだから、光一は勃起していてもしばらく暴発の心配はなさそうだった。

そして蘭子の前も後ろも味わっているうち、

「い、いっちゃう……、アアーッ……！」

たちまち美雪が声を上ずらせ、膣内の収縮を強めながらガクガクと狂おしい痙攣を開始したのである。レズの方が好みなのに、やはり挿入快感ですぐにもオル

ガスムスに達したようだ。

その収縮と締め付けにも光一は何とか耐え抜き、やがて美雪が動きを停めてグッタリとなった。そのまま蘭子の背にもたれかかって荒い呼吸を繰り返していたが、やがて股間を引き離し、蘭子のため場所を空けるようにゴロリと横になっていった。

すると蘭子も仰向けの彼の上を移動し、美雪の愛液にまみれて湯気の立つ先端に割れ目を押し当ててきた。

位置を定めて息を詰め、感触を味わうようにゆっくり腰を沈み込ませていくと彼自身はヌルヌルッと滑らかに根元まで呑み込まれた。

やはり美雪とは温もりと感触が異なり、彼は新鮮な快感に包まれた。

「アアッ……！」

蘭子が股間を密着させて喘ぎ、キュッキュッと味わうように締め付けてから身を重ねてきた。

光一も両手を回して抱き留め、両膝を立てて尻を支えた。

まだ果てるのは勿体ないので動かず、潜り込むようにして蘭子の乳首に吸い付き、舌で転がしながら顔中で膨らみと体臭を味わった。

するると蘭子が待ちきれないように、自分から腰を動かしはじめたのだ。

柔らかな恥毛が擦れ合い、コリコリする恥骨の膨らみまで、痛いほど彼に押し付けられてきた。

やはり昨夜からずっと女同士だったので、挿入を欲していたのだろう。

光一は蘭子の左右の乳首を含んで舐め回し、腋の下にも鼻を埋め、甘ったるい汗の匂いに噎せ返った。

そして、隣で放心している美雪の体も引き寄せ、胸を突き出させて両の乳首を吸った。

やはり、せっかく二人も揃っているのだから、味わわない場所を残すのは勿体ないし、平等に扱うべきだと思った。

もちろん美雪の腋の下にも鼻を埋め込み、蒸れて甘ったるい汗の匂いで鼻腔を満たした。

すると蘭子が腰を遣いながら、上からピッタリと唇を重ねてきた。

さらに対抗するように美雪も顔を割り込ませ、舌を伸ばしてきたのである。

二人の舌を同時に舐めるのも、実に贅沢な快感だった。

三人が鼻を突き合わせているので、彼の顔中は混じり合った熱い息に湿り、ミックス唾液が口に流れ込んだ。

彼がズンズンと股間を突き上げはじめると、

「アア……！　いきそう……」

蘭子が口を離して喘ぎ、膣内の収縮と潤いが増してきた。

光一は、それぞれ二人の開いた口に鼻を押し込み、濃厚な吐息でうっとりと胸を満たした。

蘭子の甘酸っぱい濃厚な果実臭と美雪の花粉臭が鼻腔で混じり合い、悩ましく胸に沁み込んできた。

「い、いく……！」

今までで一番濃い匂いの渦と摩擦の中で、とうとう光一は二度目の絶頂に達して口走り、熱いザーメンをドクンドクンとほとばしらせてしまった。

「あ、熱いわ、もっと……、アアーッ……！」

噴出を受けた蘭子も声を上げ、ガクガクと狂おしいオルガスムスの痙攣を開始したのだった。

光一は心ゆくまで快感を嚙み締め、最後の一滴まで出し尽くしていった。

そして満足しながら突き上げを弱め、グッタリと身を投げ出していくと、

「ああ……」

蘭子も声を洩らし、肌の強ばりを解きながらもたれかかってきた。

まだ膣内はザーメンを吸い取るようにキュッキュッと貪欲に締まり、合わさった胸から彼女の鼓動が伝わってきた。

光一は上からの蘭子の重みと温もり、横からの美雪の感触を味わいながら、息づく膣内でヒクヒクと過敏に幹を跳ね上げた。

そして二人分の悩ましく濃厚な吐息を間近に嗅いで鼻腔を刺激されながら、うっとりと快感の余韻を味わったのだった。

3

「ね、二人で僕の肩に跨がって」

バスルームでシャワーを浴びると、光一は狭い洗い場に座り込んで言った。

すると蘭子と美雪も立ち上がり、左右から彼の肩に跨がり、顔に股間を突き付けてくれた。

「オシッコして……」

ムクムクと回復しながら言うと、二人もためらいなく息を詰め、下腹に力を入れて尿意を高めはじめてくれた。

左右の割れ目に鼻と口を埋めたが、やはり匂いは薄れてしまい、それでも新たな愛液は二人ともヌラヌラと溢れさせていた。

交互に舐めていると、二人もほぼ同時に割れ目内部を蠢かせはじめた。

「あう……」

「出るわ……」

二人が言うなり、チョロチョロと熱い流れがほとばしり、光一の顔や肩に注がれてきた。

彼は左右に顔を向け、それぞれの流れを口に受けて味わい、肌に浴びながらゾクゾクと妖しい興奮に包まれていった。

どちらも味や匂いは淡いものだが、やはり二人分となるとそれなりに鼻腔が刺激され、しかも回復したペニスが温かく浸されると激しく高まった。

「アア……」

二人は喘ぎながら、ゆるゆると放尿して生徒の顔や身体に浴びせ続けた。

光一が心地よいシャワーで完全に回復すると、間もなく順々に流れが治まっていった。

彼は二人の割れ目を交互に舐め回し、残り香に酔いしれながら余りの雫をすすった。すると二人とも、新たな愛液を大量に湧き出させて彼の舌の動きを滑らかにさせた。

「も、もういいわ、続きはベッドで……」

蘭子が股間を引き離して言うと、美雪もシャワーの湯を出し、もう一度三人で浴びてから身体を拭いた。

蘭子の背のマリア観音もツヤツヤと上気して色づき、やがて三人は全裸でベッドに戻った。

再び光一は真ん中に仰向けにされると、二人はペニスに屈み込み、また同時に亀頭をしゃぶって唾液に濡らしてくれた。

もちろん立て続けだが、光一も二人を相手にしているので心身の回復は早く、もう一回出さないと落ち着かないほどになっていた。

「ね、今度は私の中でいって。あなたたちは年中出来るからいいでしょう?」

美雪が言い、身を起こしてペニスに跨がってきた。

そして割れ目を先端に当て、自ら指で陰唇を広げながらヌルヌルッと根元まで受け入れていった。

「アア……！」

美雪が熱く喘ぎ、キュッと締め上げながら身を重ねてきた。

蘭子も添い寝して顔を寄せ、また三人で鼻を突き合わせて舌をからめた。

「唾を出して、いっぱい……」

光一がせがむと、二人も懸命に分泌させ、白っぽく小泡の多い唾液をトロトロと彼の口に吐き出してくれた。

彼は二人分の唾液を味わい、うっとりと喉を潤しながら、ズンズンと股間を突き上げはじめていった。

「ああ、いい気持ち……」

美雪が喘ぎ、合わせて腰を動かしはじめた。

やはり男の方が良いと思ったのか、あるいは光一は蘭子の持ち物だから共有する悦びを得ているのかも知れない。

「顔中も唾でヌルヌルにして……」

さらに言うと、二人も彼の頬や鼻の穴にヌラヌラと舌を這わせてくれた。舐めるというより、垂らした唾液を舌で塗り付ける感じで、たちまち顔中はパックでもされたように美女たちの唾液でヌルヌルにまみれた。

「ああ、気持ちいい。噛んで……」

突き上げを強めながら言うと、二人も彼の頬や耳をキュッと噛んでくれた。

光一は美人教師たちの混じり合った悩ましい吐息の匂いと唾液のヌメリに包まれ、急激に高まってきた。

すると、先に美雪の方が収縮を活発にさせ、ガクガクと痙攣を開始したのだ。

「い、いっちゃう……、アアーッ……！」

彼女が声を上げ、きつく締め上げながら昇り詰めてしまった。

その収縮の中、たちまち光一も巻き込まれて絶頂に達し、

「く……！」

快感に短く呻きながら、ありったけのザーメンをドクドクと勢いよく注入したのだった。

「あう、感じるわ……！」

噴出を受け、美雪は駄目押しの快感に呻きながら股間を擦り付けた。

光一は快感に身悶えながら二人の舌を舐め、心置きなく最後の一滴まで出し尽くしていった。

すっかり満足して突き上げを弱めていくと、

「アア……、気持ち良かったわ……」

美雪も声を洩らし、力を抜いてグッタリと体重を預けてきた。

光一は二人の温もりに包まれ、膣内でヒクヒクと幹を過敏に震わせた。

そして二人分の悩ましい息を嗅ぎながら、うっとりと快感の余韻に浸り込んでいったのだった……。


——もうすっかり暗くなり、三人はシャワーも浴びて身繕いをした。

「ね、三人で夕食に出ない。ファミレスで良ければ奢るわ」

と、美雪が言った。

「ええ、もう成績に響かない時期だから依怙贔屓《えこひいき》にはならないわね。早めの卒業祝いということで」

蘭子も賛成して言い、やがて三人は独身寮を出ると、美雪の車に乗り込んで町まで出た。

ファミレスの駐車場に入れると、土曜の夜とはいえ、やはり田舎なのでさして混んでいなかった。四人掛けのボックス席に案内されると、光一は女教師二人の向かいに座った。

「帰りは私が運転するので、良ければ美雪先生は飲んで構わないわ」

「本当？」

蘭子に言われ、美雪は顔を輝かせて答えながらグラスワインを注文した。

光一と蘭子はドリンクセットで、やがてステーキも運ばれてきた。

幸い、店内には知った顔もいなかった。

「間もなく卒業試験ね。そして自由登校になったらどうするの？　もう推薦で希望私大への合格が決まったんでしょう？」

美雪が光一に訊いてくる。

そうした話題を出す美雪は、いつものメガネ教師の顔で、さっきまで快感に悶えていたとはとても思えなかった。

「ええ、一度上京して大学に手続きに行って、ついでにアパートも探してこようと思います」

「そう、それがいいわ。あとは卒業式に出るだけだからね」

美雪は言い、赤ワインのグラスをお代わりした。彼女も念願の蘭子と懇ろになり、自分なりのお祝いのようなものなのだろう。

蘭子は物静かに食事をし、心根を覗いてみたがシャットアウトされているようで読み取れなかった。

それでも蘭子は、光一がこの土地を出て、東京での新生活をするという決心が揺らがぬよう願ってくれているのだろう。

やがて食事を終え、食後のコーヒーまで飲むと美雪が支払いを済ませてくれ、三人はレストランを出た。

また車に乗り込むと、今度は蘭子が運転をして駐車場を出た。

まず、先に光一がアパート前で降りると、

「じゃまた月曜にね」

二人はそのまま独身寮に向かい、坂道を上っていった。

光一は頭を下げて車を見送ると、鍵を出して自室に戻ろうとした。

と、その時である。

「おい、メガネ」

いきなり声を掛けられた。

光一が驚いて顔を向けると、暗がりから巨漢の真治が姿を現したのだった。

土曜なので学生服ではなく、派手なブルゾンを羽織っている。さらに路地に車が停まり、暴走族らしい仲間たちが乗っていた。

「ちょっと顔を貸せや」

「いや、今夜は用事があるので……」

「何の用事だ。観音お蘭たちと食事してたんだろう。いいから来いや」

真治は言い、彼の腕を摑むと怪力で車の方へ引っ張っていった。

声を上げたいが、アパートの他の住人はまだ帰っていないようだし、道を通る人もいない。

光一は身を震わせながらも、暴力への恐怖に声も出すことも出来ず、そのまま車に乗せられてしまったのだった。

4

「ふうん、これがタトゥー女に贔屓されてる子？　ガリ勉そうね」

一室に連れ込まれた光一を見て、派手な中年女が言う。あとで聞くと、宏明の母親で俊美と言うらしい。

光一が拉致されたのは、駅裏にあるスーパーの建設予定地にある、二階建てのバラックだった。

隣には、株式会社カジオのビルが建っている。

強引な買い占めで得た広い土地はフェンスに囲まれ、そろそろ地ならしが始まろうという頃で、敷地にはトラックや土木機器が置かれて、さらに真治の率いる暴走族たちの車やバイクも並んでいた。

バラックの一階にはガラの悪い社員がひしめき、光一が監禁されたのは流しやトイレもある二階の一室だ。

光一を連れ込んだ真治は、彼のポケットからスマホを取り出し、

「お蘭にかけろ」

渡しながら言った。仕方なくコールすると、光一からの表示を見て、もう独身寮に戻ったらしい蘭子がすぐに出た。

「先生……」

「青井君？　どうしたの」

蘭子が応答したところで、真治がスマホを奪い取った。

「ああ、俺は梶尾真治だが、今からすぐ駅裏にあるスーパーの建設用地に来い。警察に言わず一人でだ。でないと、このメガネの顎を金属バットで粉々にするか

らな」

真治は言うと、すぐに通話を切って電源も落とした。そしてスマホを部屋の隅へ放り投げると、

「じゃ窓から見物してな。おばさん、任せたぜ」

真治は言い、部屋を出て行った。残ったのは光一と、けばい俊美の二人きりである。

光一は別に縛られているわけではないが、俊美に奥の隅へ追い詰められ、椅子に座らされていた。仮に逃げ出しても、階下には破落戸《ごろつき》まがいの社員たちが屯《たむろ》しているだろう。

部屋にあるのは、灰皿の置かれた会議用のテーブルと椅子、あとは棚に黄色いヘルメットが並び、壁に何着かの作業着が下がっているだけだった。

「あの女としたの？」

俊美が、光一の頬を撫で回し、化粧の匂いを漂わせて言う。

彼は、小さく首を横に振った。

「そうよね。あのオーラのある女教師が、こんな頼りないタイプにやらせるわけはないわ」

誰から見ても、光一は童貞に思われるようだ。

「でも、私はそそるわ。今まで会ったことのないタイプだから」

俊美は言い、椅子に座った光一に屈み込み、顔を寄せてきた。

彼女は光一の髪を摑んで顔を押さえつけ、紅の塗られた肉厚の唇をピッタリと重ねた。

「ウ……」

彼は呻き、強引に潜り込んでくる俊美の舌を、歯を開いて受け入れた。

もちろん嚙みつくような度胸はないし、女性相手に暴力を振るうつもりもない。

犬のように長い舌が、彼の口の中を隅々までチロチロと舐め回し、生温かな唾液が流れ込んだ。

湿り気ある化粧の匂いで鼻腔が湿り、光一は否応なくムクムクと反応してきてしまった。昼間は濃厚な3Pで三回射精したというのに、やはり相手が変わると感じてしまうものらしい。

もちろん本当に童貞の頃に、この四十代前半の熟女に誘惑されたら、喜んで手ほどきを受けていたことだろう。

俊美は執拗に舌をからめ、光一の髪を撫で回しながら、彼の手を取りブラウスの膨らみに導いた。そして手のひらを重ねながらグイグイと押し付けられ、彼は柔らかな感触を味わった。

やがて、ようやく唇が離れて唾液が糸を引いた。

「アア、美味しい……」

俊美が近々と顔を寄せて喘ぐと、白粉臭の吐息には淡いガーリック臭とタバコ臭も混じって悩ましく鼻腔が掻き回された。刺激が濃厚なほど、無理矢理犯される気がして光一は激しく勃起してしまった。

こんな最中で、しかも蘭子の身も心配なのに、感じてしまうとはなんて自分は情けない男なのだろうと光一は思った。

すると俊美が、テントを張った彼の股間に触れてきた。

「まあ、勃ってるわ、いい子ね」

彼女が言い、ズボンの上からニギニギと強ばりを刺激してきた。

「アア……」

光一は喘ぎ、クネクネと腰をよじった。

「いいわ、ここへは誰も来ないから初体験させてあげる。脱いで床に寝て」

言いながら俊美は彼の手を引いて椅子から立たせた。

光一も前屈みになりながらベルトを解き、下着ごとズボンを膝まで下ろすと床に仰向けになった。

「いい？　入れる前に舐めるのよ」

俊美が興奮に目をキラキラさせながら言い、仰向けの彼に跨がると、裾をめくって下着をズリ下ろし、ためらいなくしゃがみ込んできたのだった。

よくよく、光一は女性に跨がられる星を持っていたのかも知れない。

白い内腿がムッチリと張り詰めて股間が迫ったが、よく観察する間もなく濃い茂みが鼻を塞いできた。

「むぐ……」

光一は心地よい窒息感に呻きながら、熟れた柔肉に舌を這わせた。

恥毛の隅々には、やはり蒸れた汗とオシッコの匂いが濃厚に沁み付いて鼻腔が刺激され、次第に溢れるヌメリは淡い酸味を含んで舌の動きを滑らかにさせていった。

膣口を探ってからクリトリスまで舐め上げると、それはかなり大きめの舌触りだった。

「アア……、いい気持ち……！」

俊美が熱く喘ぎ、グイグイと割れ目を彼の鼻と口に押し付けてきた。

さらに彼女が前後に擦り付けるので、顔面は愛液でヌルヌルになり、彼は尻の谷間が迫ると、そこも舌を這わせてやった。

「あう、そこも舐めてくれるの……」

俊美が呻き、今度は執拗に蕾を押し付けた。光一もチロチロと舐め回し、ヌルッと潜り込ませて滑らかな粘膜を探ってやった。

「く……、変な気持ち……、でも嬉しいわ……」

俊美は呻きながら、モグモグと肛門で舌先を締め付けた。粘膜は淡く甘苦い味で、再び彼女は割れ目を戻し、彼もクリトリスに吸い付いた。

「ああ、いきそうよ……」

すっかり高まった俊美が言うと、彼女は腰を浮かせて移動した。そしてピンピンに屹立している先端に屈み込み、舌を這わせて大量の唾液で亀頭をヌメらせてくれた。

「アア……」

光一は快感に喘ぎ、股間に熱い息を受けていたが、俊美は充分に濡らすと顔を上げて跨がってきた。

幹に指を添えて先端に割れ目を押し付け、ゆっくり腰を沈めて若い肉棒をヌルヌルッと膣口に受け入れていった。

「あう、いい……！」

完全に座り込むと俊美は顔を仰け反らせて呻き、密着した股間を何度かグリグリと擦り付けて、童貞と思っているペニスを味わった。

光一も温もりと感触に包まれ、やはり三人の美人教師たちとは違う感覚を味わい、両膝を立てて尻を支えた。

小夜子ほど豊満ではないが肉づきが良く、膣内の潤いと収縮は心地よかった。

薄寒い室内で、快感の中心部のみが温かく心地よい肉壺に納まっていた。

すぐにも俊美は覆いかぶさると、再び唇を重ねて舌をからめながら腰を遣いはじめた。

「ンン……」

彼女は熱く鼻を鳴らし、貪るように舌を蠢かし、次第にリズミカルに律動していった。

「アア、いいわ、両手を回して、下からも突いて……」

俊美が口を離して言うので、彼も両手でしがみつき、ズンズンと股間を突き上げはじめた。

「い、いきそう……、もっと強く……！」

彼女が大量の愛液を漏らしながら収縮を強め、光一も必死に突き上げながら摩擦快感に激しく絶頂を迫らせていった。

「い、いく……！」

堪らずに光一が口走ると、

「いいわ、いって、中にいっぱい出して……、アアーッ……！」

俊美も声を上ずらせて答えながら、ガクガクと狂おしいオルガスムスの痙攣を開始した。ひとたまりもなく光一も絶頂に達し、

「く……！」

快感に呻きながら、ドクンドクンとありったけのザーメンをほとばしらせてしまった。

「あう、もっと……！」

噴出を感じた俊美が駄目押しの快感に呻き、収縮を強めながら彼の上で乱れに乱れた。そして彼が心置きなく最後の一滴まで出し尽くし、突き上げを弱めていくと、

「アア……」

俊美も満足げに声を洩らし、熟れ肌の硬直を解いてグッタリと力を抜いて体重を預けてきた。

光一は重みと温もりを受け止め、まだ息づく膣内でヒクヒクと幹を過敏に震わせ、濃厚な吐息を嗅ぎながら余韻に浸っていったのだった。

「ああ、気持ち良かったわ……」

俊美は精根尽き果てたように言い、やがて呼吸を整えると身を起こし、ティッシュを出して割れ目を拭った。そして彼のペニスも拭いてくれ、互いに起き上がって身繕いをした。

「まだ来ないようだわね……」

俊美は窓の下を見て言い、茶を二つ淹れてくれると椅子に腰を下ろし、タバコに火を点けたのだった。

5

(雪、か……)

独身寮を出た蘭子は、空を見上げて思った。暗い空からはちらちらと粉雪が舞いはじめている。

電話があったとき、まだ着替える前だったので、レストランに行ったときのカジュアルな服装のまま出かけた。バッグは持たず、ポケットに入っているのはスマホとキイの付いた小銭入れだけだ。

もちろん光一の安全のため通報はせず、足早に坂を下りて駅方面に向かった。

そして駅裏の、フェンスに囲われた場所へ行って迂回すると、ドアがあったので開けると難なく中に入れた。

工事用のライトが点いているので、中は明るかった。

敷地にはトラックやショベルカーが並んで停まり、灯りの点いたバラック小屋からは何人かが顔を出し、

「来ましたぜ」

蘭子を確認すると奥に言い、

「入ってもらえ」

と声がしたので、チンピラ風の男が蘭子に向かい、入れというように顎を動かした。

「挨拶の仕方も知らないのか、低能め」

蘭子が言いながらドアに進むと、男は気色ばんだが、奥にボスがいるため黙って彼女を招き入れた。

タバコの煙の立ち籠めた中にいるのは、灰皿とビールの空き缶やツマミの並んだ大きなテーブルを囲むように立っている十人余りの作業着。生徒は真治だけだから、勇太などは怖じ気づいたか顔を見せていないようだ。

あと見知っているのは、宏明の父親である明夫。そしていちばん奥に座ってタバコを吹かしている巨漢が、顔がそっくりなので真治の父親、社長の真一郎だろうとすぐに分かった。

みなガラが悪そうで、半数はカジオの社員、残りは真治の暴走族仲間といったところだろう。

「よく来たな。大したものだ、実に落ち着いている」

真一郎が言って、タバコを灰皿に押し付けた。

「私が来たのだから、うちの生徒を帰して。どこ」

「通報されると困るんでな、もうしばらく二階にいてもらう」

「で、用件は」

「大事な社員の息子を可愛がってもらったのでな、どんな先生か会いたかったんだよ」

「ボキャブラリーが貧困だわ。文学でも読んで頭を良くしたら？　絶対に読まないだろうけど」

「なにい！」

怒鳴ったのは明夫だ。

蘭子は目もくれず、明夫の心根を読んだ。

「裸にしてビデオに撮れば、言いなりになると思ってるのね。入院したバカ息子と同じレベルだわ」

「てめえ！」

我慢しきれずに明夫が怒鳴り、摑みかかってきた。

蘭子は、その股間に猛烈な蹴り、続けざまに掌底を顎に見舞うと、

「ぐわッ……！」

明夫は奇声を発して壁にブチ当たり、そのまま倒れて苦悶した。手の指を守るため、使うのは蹴りと掌底だけだ。

その素早さに、一同が息を呑んで立ちすくんだ。

「や、やっぱり空手だ。素手じゃ無理だぜ……」

連中が、手に手に木刀を持ちはじめた。

「待ちなさい。女一人に卑怯でしょう。私にも一本得物を寄越しなさい」

蘭子が言うと、唯一座ったままの真一郎が口を歪め、一人に顎をしゃくった。

すると男が木刀を投げ与えてきたので、蘭子は発止と受け止めた。

「狭いわ。外へ出ましょう」

木刀を担ぐように持ち、蘭子が言ってドアに向かうと、男たちが思わず左右に避けた。

蘭子が外に出ると、すかさず背後から木刀が唸って襲いかかってきた。

すでに後ろの男の心を読んでいた蘭子は、難なく右へ飛んで避けると、振り向きざま渾身の小手打ち。

「わう……！」

男は右手首を砕かれて得物を落とし、さらに彼女の二の太刀で肩を粉砕されて崩れた。

蘭子にとって剣道は、空手よりもずっと稽古量が多かったので、彼女と得物は一心同体になっていた。そんな彼女に、恐れげもなく木刀を渡したのが連中の敗因となるだろう。

ドアの前に立ったので、連中は一人ずつしか外に出られない。

それでも匹夫の勇で飛びだしてきた男は、容赦なく彼女が薙ぎ払った得物で顎を粉砕されていた。

すると、ようやく一人ずつ飛び出す不利を悟ったように、窓からもバラバラと連中が飛び出し、左右から蘭子を挟み撃ちにした。

しかし彼女は連中が構える隙も与えず、右の男の鼻柱に切っ先をめり込ませ、振り返るなり背後の男の肩を砕いていた。

三方斬りの、一と二の太刀である。

三の太刀は正面からの男の肩へ。

やはり殺すわけにいかないので、脳天だけは避けるつもりだった。

連中も、ボス親子が見ているから逃げるわけにもいかず、複数での一斉攻撃を仕掛けてきたが、やはり深い考えもなく、正式な武道を修行してきたわけではないようだから攻撃もバラバラで、次々と蘭子の木刀の餌食となった。

すると、いつの間に誰かが背後から迫ったか、殺気を感じた蘭子は素早く身を躱した。

一瞬、服とブラウスの背が裂け、寒気が侵入してきた。

幸い肌も、ブラの紐も切られなかったようだが、それでも裂け目からマリア観音が覗いた。

「こ、これは、どこの姐御だ……」

タトゥーを見た連中が息を呑んだ。

カジオは不良の集まりではあるが、一応真一郎は市長選を狙い、どこかの組の正式な傘下にあるわけではない。だから連中には、蘭子のタトゥーが不気味に映ったのだろう。

しかし、それどころではない。蘭子は日本刀を持った男に向き直っていた。

それは真治である。

だが刀の構えは素人である。親子とも、恵まれた巨体と怪力のみで人々を威圧し、正式な武道とは縁がなかったのだろう。

「そんなものを持つなら、遠慮なく頭を狙うので覚悟しなさい」

蘭子が言うと、真治も一瞬目に怯えを見えて構えを硬直させた。

さらに蘭子は、ドアから出てきた真一郎にも声を掛けた。

「内ポケットの拳銃、使わない方がいいわ」

「なに……！」

言われて、それまで落ち着き払っていた真一郎が硬直した。

それでも脅しのためか、拳銃を取り出して左手を添え、銃口を蘭子に向けてきたのだ。

拳銃を持っていることがなぜ分かったのか理解できないようだが、ばれた以上取り出すしかなくなったのだろう。

「愚か者が」

蘭子は呻き、真治よりも真一郎に間合いを詰めた。

そんな様子をバラックの二階から、光一と俊美が息を呑んで見下ろしていたのだった。

第六章　それぞれの卒業

1

「ぶ、ぶっ殺してやる……！」

真一郎が声を上げ、自動拳銃の引き金に指を掛けた。

蘭子は構わず木刀を構えて前進した。真一郎の心根は、殺すと言いながら腕を狙うことが分かっていたのだ。

そして蘭子は、真一郎が引き金を引くと同時に左へ跳んでから大上段に振りかぶった。

パーン……！

と乾いた発射音が響くと、木刀の物打ちが真一郎の右耳をそぎ落とし、そのまま肩に炸裂、鎖骨と肩胛骨を砕いてめり込んだ。

「うぐ……！」

呻きが前後から聞こえ、真一郎が崩れると同時に蘭子の背後で真治が倒れた。

見ると、被弾した真治の腹が真っ赤に染まっている。

と、その時である。

「警察だ！　全員その場を動くな！」

フェンスの戸が開かれ、吉村刑事と制服警官たちが躍り込んできた。

一番最後から、美雪が心配そうに顔を出し、蘭子に縋り付いていた。

「美雪先生……」

「無事？　良かったわ。あなたがこっそり独身寮を出たのに気づいたから、そっと後をつけてきたのよ……」

どうやら美雪が、フェンスの隙間から中の様子を見て通報したようだった。

「す、すごい……、これをあなたが一人で……？」

警官たちは目を丸くし、蘭子に言った。しかも彼女の裂けた服の間から覗くタトゥーに絶句していた。

「救急車だ！　それと応援！」

倒れている連中、特に真治の様子を見た吉村刑事が周囲に怒鳴った。

蘭子の攻撃を受けた全員が立ち上がれない重症。無傷で呆然と立ち尽くしているのは、社員と暴走族の二人だけだった。

警官たちが乱入してきたので、二階から恐る恐る光一と俊美も降りてきた。

「無事？」

「え、ええ……」

蘭子が、いち早く光一を見つけて声をかけてきたので、彼も頷きながら息を呑んで惨状を見回した。そして光一は自分のブルゾンを脱ぐと、蘭子の背にそっと掛けてやった。

「有難う」

蘭子も言い、ようやく血まみれの木刀を捨て、光一の無事を確認すると安心したようにほっと息をついた。

「あんた……、なにノビてんのよ……」

俊美が声を震わせ、うずくまっている夫の明夫を揺すったが、彼は白目を剝いて昏倒し、しかも股間が血に染まっているので、恐らく蘭子が陰嚢を蹴破ったのだろう。

　やがて蘭子の前に吉村がやってきたが、それを光一が遮った。

「蘭子先生は全て正当防衛です。僕は二階から見ていました。その木刀も彼女のものではありませんので」

「ああ、分かってます。社長の発砲で息子が被弾、他の全ての原因はカジオの連中ですので」

　吉村が光一を安心させるように頷き掛けて言い、蘭子に向き直った。

「お疲れ様です。それにしてもたった一人、丸腰で来るとは無茶な……」

　吉村は嘆息して言い、傷一つ負っていない蘭子をまじまじと見た。

「社長の拳銃不法所持と傷害、これでカジオも終わりだからスーパー建設も中止でしょう。息のかかった市警の幹部や市議会など、これから暫く混乱するでしょうが町は綺麗になります」

　吉村が言うと、ちょうど救急車が数台到着し、最も重症な真治をはじめ、真一郎やその他の怪我人も次々と運び出されていった。

「ええと、話を聞きたいんだが、怪我をしていないのはその二人と、高田の奥さんだけか。とにかく署の方へ」

吉村が周囲を見て言い、

「先生と君も来て下さい。近いので歩きで」

「分かりました」

蘭子と光一も答え、やがて吉村に導かれてフェンスの外へ出た。

ちらついていた雪は止んでいたが、夜風が肌を切るように冷たい。

このまま帰れるのは美雪だけで、蘭子は彼女に言った。

「通報してくれて有難うございました。じゃ、もう安心してお帰り下さいね。私もすぐ帰れると思いますので」

「ええ、先生と生徒も無事で良かった。じゃ帰るので、青井君、また明後日月曜に学校でね」

美雪は光一にも言い、そのまま一人で独身寮へと帰っていった。

蘭子たちも駅裏から大通りを渡り、警察署へと移動した。

光一や俊美たちは別室に呼ばれ、蘭子は取調室ではなくエントランスの隅にあるソファで事情を聞かれた。

蘭子も、光一を人質に取られて通報を封じられ、呼び出しに応じたと正直に話した。木刀や日本刀、拳銃などの武器は連中が揃えたもので、蘭子が手ぶらだったことも証明されている。

「一方的な恨みですなあ。高田の息子の入院から始まり、連中には大月先生が煙たかったのでしょう。しかも美しいから、何とか言いなりにさせたかったが、何しろ強いので頭数を揃えた、バカな奴らです」

吉村も言い、一応蘭子のタトゥーのことも聞かざるを得ないようだった。

「どこかの組織から、カジオを壊滅させろと頼まれたとか、そういうことはありませんよね……？」

吉村が訊きにくそうに言い、蘭子も彼が職務上、仕方なく言っているのが分かるので苦笑した。

「一切ありません。タトゥーは高校時代、タトゥーアーティストだった祖父に無理矢理入れられたものですので」

「そうですか。大変だったのですね……」

吉村は言い、苦労した少女時代を察したように話題を変えた。

「入院中の体育教師、友人である中野の傷害に関しても必ず自供を取るつもりです。署の内部も、徹底的に綺麗にするつもりですので」

正義感に満ちた眼差しで彼が言い、蘭子も頷いた。

「それにしても、木刀一本で日本刀や拳銃と渡り合うとは……、恐ろしかったでしょう……」

「いえ、以前は何度も死のうと思っていたぐらいですので、別に」

訊かれて蘭子が答えると、吉村も小さく何度か頷いた。

やがて事情聴取を終えると、吉村が立ち上がった。

「では今日はこれでお帰りになって結構です。また何かありましたら学校の方にでも伺います。今日はパトカーでお送りしますので」

「あ、ではこれを青井に返して下さい」

言われて、蘭子も立ち上がってブルゾンを脱ごうとすると、

「いや、彼も間もなく済むと思うので、少しお待ち下さい」

吉村は言って、別室の方へと移動した。

そして間もなく、彼が光一を伴って戻ってきた。どうやら俊美や、他の二人はまだまだ取り調べが続くようだった。

やがて署を出ると、吉村が見送りに出て、蘭子と光一はパトカーの後部に乗り込んだ。

走り出すと、蘭子はブルゾンを脱いで光一に返した。

「どうも有難う」

「いえ……」

受け取った光一の心を読み、バラックの二階で俊美とセックスしたことを知ったが、もちろんそのことに蘭子は触れないし、光一も俊美も事情聴取でそんなことまで言うはずもなかった。

やがて先に光一のアパートに着き、パトカーは停まった。

「じゃまた明後日。月曜から卒業試験だから頑張って」

「はい、先生も気をつけて。では」

ブルゾンを羽織って降りた光一は答え、やがてドアを閉めるとまたパトカーは走り出し、坂を上って独身寮に向かった。

着いて蘭子が降りると、パトカーはUターンして署に戻り、蘭子も自室に入ろうとした。

すると美雪が出てきて笑みを見せた。

「良かった。何事もなく帰れたのね」

「ええ、ご心配おかけしました」

「疲れたでしょう。寝しなに一杯やらない？」

美雪が言う。もう快楽は午後に三人でとことん追究したから、淫気は催していないようだ。

「いいわね。私も帰りは運転で飲んでいないから」

「ええ、ワインを開けるわ」

美雪が言い、いそいそと蘭子を自室に招いたのだった。

2

「何だか、町は大変だったみたいね。今もスーパーの建設取り止めで大騒ぎよ。古くからの商店街は喜んでいるみたい」

月曜の昼休みに保健室に行くと、小夜子が光一に言った。彼女は、まさか光一もその事件に関わっていたことは知らないようだ。

昨日の日曜、光一は蘭子に会いたかったがどこへも出ず、アパートで卒業試験に備えた勉強をしていた。

そう、ここへ来て昨日初めて、一回も抜かない一日を過ごしたのだった。

そして今日の午前中、四科目のテストを終えたところだ。午後はなく解散で、卒業試験は明日で終わり。

明後日からは二月に入り、三年生は自由登校となる。

朝のホームルームでも、蘭子は全く普段と変わりない様子だった。

今日は、勇太をはじめとする不良グループの残党は出席していなかった。

恐らく中野教諭の傷害事件が、次第に明るみに出て厳しい取り調べを受けているのではないか。

これで卒業目前にして、不良たちは退学になり一掃されることだろう。

「梶尾の息子も大怪我をしたって言うけど、辛うじて命は取り留めたようだわ」

さすがに耳が早く、近所の噂好きな主婦たちとも話したか、小夜子はそうした情報も得ているようだった。

それより光一は淫気に股間を熱くさせていた。

間もなく自由登校になれば、色々な用事で上京しなければならないし、小夜子ともしておきたかったのである。

もちろん小夜子も、光一が来た以上用件は分かっているので、すぐにも奥のベッドルームに彼を招いてくれた。

互いに昼食を終えたところだ。三年生は帰り、一、二年生は授業があるから誰も来ないだろう。

小夜子は白衣の裾をめくって下着を脱ぎ去ってしまい、光一もズボンを下着ごと下ろすと、ピンピンになったペニスが露わになった。

「まあ、そんなに勃って……」

小夜子が目をキラキラさせ、彼をベッドに座らせると、自分は床に膝を突いて顔を寄せてきた。

光一は股間に熱い息を感じて胸を高鳴らせると、チロチロと先端を舐められ、スッポリと含まれた。

「ああ……」

彼は快感に喘ぎ、小夜子の口の中でヒクヒクと幹を震わせた。

ラブホテルで心置きなくするのも良いが、校内でスリルを感じながらするのもまた格別である。そして間もなく卒業すれば、校内でなど、する機会も失われてしまうのだ。

「ンン……」

小夜子が熱く鼻を鳴らして吸い付き、貪るようにスポスポと濡れた口で摩擦してくれた。

彼自身は最大限に勃起し、生温かな唾液にまみれて震えた。

やがて小夜子がスポンと口を離し、ベッドに上って仰向けになった。

光一も彼女の股間に顔を進め、白くムッチリと量感ある内腿をたどり、湿り気の籠もる割れ目に迫った。

柔らかな茂みに鼻を擦りつけて嗅ぐと、濃厚に蒸れた汗とオシッコの匂いが悩ましく鼻腔を掻き回してきた。

光一は胸を満たしながら割れ目に舌を挿し入れ、柔肉を探ってクリトリスまで舐め上げていくと、

「アアッ……！」

小夜子がビクッと顔を仰け反らせて喘ぎ、内腿できつく彼の両頬を挟み付けてきた。彼は執拗にクリトリスを刺激しては匂いに酔いしれ、次第にヌラヌラと溢れてくる愛液をすすった。

さらに両脚を浮かせ、白く豊満な尻の谷間に鼻を埋め、レモンの先のように突き出た蕾に籠もる匂いを貪り、舌を這わせてヌルッと潜り込ませ、滑らかな粘膜を探った。

「あう、そんなところはいいから、早く入れて……」

さすがに校内だと気が急くように小夜子が呻き、モグモグと肛門で舌先を締め付けた。

光一は小夜子の前も後ろも味と匂いを充分に堪能すると、やがて身を起こして股間を進めていった。

幹に指を添えて先端を割れ目に擦り付け、充分にヌメリを与えてから張り詰めた亀頭を膣口に押し込むと、あとはヌルヌルッと滑らかに根元まで吸い込まれていった。

「アア……、いいわ、すごく……」

小夜子が顔を仰け反らせて喘ぎ、キュッときつく締め付けてきた。しかも白衣を左右に開くと、忙しげにブラウスのボタンを外した。

光一も股間を密着させると、脚を伸ばして身を重ねていった。

屈み込むと、彼女がブラのフロントホックを外し、メロンほどもある巨乳をはみ出させたところだった。

彼はチュッと乳首に吸い付いて舌で転がし、白衣の内側に籠もった濃厚に甘ったるい体臭を嗅ぎながら、顔中を柔らかく豊かな膨らみに押し付けて感触を味わった。

残念ながら、もう母乳は滲んでこなかった。

光一は左右の乳首を味わい、乱れた服の中に潜り込み、色っぽい腋毛の煙る腋の下にも鼻を埋め込み、何とも甘ったるい汗の匂いに噎せ返った。

「ああ、突いて……」

待ち切れないように小夜子が言い、ズンズンと股間を突き上げはじめると、のしかかった彼の全身もユサユサと上下した。

合わせて腰を突き動かし、肉襞の摩擦と温もり、締め付けと潤いを感じながら光一は急激に高まっていった。

上から唇を重ねていくと、小夜子も両手でしがみつき、

「ンン……」

熱く鼻を鳴らしてネットリと舌をからめてきた。

彼は息で鼻腔を湿らせながら、チロチロと滑らかに蠢く小夜子の舌を舐め回し生温かな唾液を味わった。

そして次第に勢いを付け、股間をぶつけるように突き動かしていると、収縮と潤いが増してゆき、

「アア……、い、いきそう……」

小夜子が口を離して喘いだ。甘い息の匂いに、ほのかなオニオン臭が混じり、いかにもリアルな主婦といった刺激がゾクゾクと彼を高まらせた。

光一は喘ぐ小夜子の口に鼻を押し込んで濃厚な息に高まると、彼女もヌラヌラと舌を這わせ、彼の鼻の穴を唾液にぬめらせてくれた。

たちまち光一は、美熟女の唾液と吐息の匂い、心地よい摩擦に激しく昇り詰めてしまった。

「い、いく……！」

突き上がる絶頂の快感に呻くと同時に、熱い大量のザーメンがドクンドクンと勢いよく内部にほとばしった。

「あう、感じる、すごいわ……、アアーッ……！」

噴出を受けた小夜子も声を上げ、彼を乗せたままガクガクと狂おしくブリッジするように反り返った。オルガスムスと同時に膣内の収縮と締め付けも最高潮になり、光一は心ゆくまで快感を嚙み締めながら、最後の一滴まで出し尽くしていった。

「ああ、良かった……」

彼は満足して口走り、徐々に動きを弱めながら、遠慮なく小夜子の豊満な熟れ肌に体重を預けていった。

「アア……」

小夜子も満足げに声を洩らし、力を抜いてグッタリと身を投げ出した。

余りに慌ただしかったので、まだ快感がくすぶっているように膣内の収縮が続き、刺激された幹が内部でヒクヒクと過敏に跳ね上がった。

そして光一は、小夜子の口に鼻を押し込み、濃厚な吐息を嗅ぎながら胸を満たし、うっとりと余韻を味わったのだった。

しばし荒い息遣いを混じらせていたが、やがてヌメリと締め付けで、満足げに萎えかけたペニスがヌルッと押し出されると、ようやく彼も身を起こしてティッシュを手にした。

小夜子にも渡し、互いに自分の股間を拭うと、すぐにも彼女は身を起こしてベッドを降り、手早く身繕いをした。

光一もズボンを整え、乱れたベッドを直した。

「良かったわ……、でも、もう何度も会えないのね。青井君は上京したら、もう希望ヶ丘には戻らないのでしょう……？」

小夜子が、名残惜しげに言う。

「ええ、アパートを引き払ったら、もうこの土地に家はないですから。でも、もちろんたまに遊びに来ますので」

「本当？　じゃ大学で彼女が出来るまでは、なるべく帰ってきてね」

「ええ、そんなに早く彼女は出来ないと思いますので」

光一は答え、やがて小夜子が髪を直してベッドルームを出ると、彼も挨拶してそのまま下校したのだった。

3

「明日から自由登校だから、今日アパートへ行ってもいい？」

翌日、卒業試験を全て終えると、下校しようとした光一に美雪が来て言った。

蘭子への執着は充分にあるようだが、光一と快感を分かち合いたい気持ちも強いようだった。

「ええ、構いません。じゃお昼を終えたら待ってますので」

光一は答え、先にアパートへと戻った。

そして学生服を脱いでジャージに着替えた。これで、もう学生服を着るのは卒業式だけとなるだろう。

彼は冷凍食品で軽く昼食を済ませると、歯磨きとシャワーを済ませて準備を整え、期待に勃起した。

蘭子は昨日今日と、試験中は学校にいたが、午後は何かと警察署に呼ばれているようで、個人的に会うことは出来ない状態になっていた。

やがて車の停まる音が聞こえ、間もなくノックされたのでドアを開け、やはり期待に頰を上気させているメガネ美女の美雪を招き入れた。

「三人もいいけど、やっぱり一対一の方がドキドキするわね」

美雪が自分でドアをロックして上がり、言いながらすぐにも服を脱ぎはじめてくれた。

確かに、3Pは夢のような興奮と快楽が得られたが、あれは滅多にないお祭りかスポーツ大会のように明るいもので、やはり淫靡な秘め事は一対一の密室に限ると光一も実感したものだった。

もう互いの淫気は充分に伝わり合っているので、彼も手早くジャージ上下と下着を脱ぎ去って全裸になった。

先にベッドに向かうと、たちまち美雪も最後の一枚を脱ぎ去り、一糸まとわぬ姿で横になってきた。

もちろん彼が好むので、美雪はメガネだけは掛けてくれていた。

光一は彼女を仰向けにさせると、まず足の方に屈み込み、足裏から舌を這わせていった。

「あう、そんなところから……」

美雪は驚いたように呻いたが、もちろん拒むことはしなかった。

光一は左右の足裏を舐め、指の股に鼻を割り込ませて蒸れた匂いを貪った。

爪先にしゃぶり付いて指の股に舌を挿し入れて味わうと、そこは汗と脂に生ぬるく湿っていた。

「アア……、くすぐったくて気持ちいいわ……」

美雪も、最初から淫気を抱えてきているので、すぐにも熱く喘ぎ、クネクネと身悶えはじめた。

彼は両足とも味と匂いを吸い尽くし、大股開きにさせてスベスベの脚の内側を舐め上げていった。白くムッチリした内腿を通過し、熱気の籠もる股間に迫るとすでに割れ目はヌラヌラと大量の愛液に潤っているではないか。

茂みに鼻を埋めて嗅ぐと、生ぬるく蒸れた汗とオシッコの匂いが悩ましく鼻腔を掻き回し、舌を挿し入れると淡い酸味のヌメリが感じられた。

息づく膣口の襞をクチュクチュ掻き回し、柔肉をたどってクリトリスまで舐め上げていくと、

「アアッ……！」

美雪が身を弓なりに反らせて喘ぎ、内腿できつく彼の顔を挟みつけた。

思えば自分も積極的に愛撫をして、すっかり年上の女教師を翻弄するようになったものだと彼は思った。

充分にクリトリスを刺激し、溢れる愛液をすすり、味と匂いを堪能すると、彼は美雪の両脚を浮かせ、尻の谷間に迫った。

弾力ある双丘に顔中を密着させ、谷間の可憐な蕾に鼻を埋め、蒸れた微香を貪ってから舌を這わせ、ヌルッと潜り込ませると、

「あう……」

美雪が呻き、キュッと肛門できつく舌先を締め付けてきた。

光一が内部の滑らかな粘膜を探っていると、鼻先の割れ目から大量の愛液が漏れてきた。

ようやく脚を下ろし、ヌメリを舐め取りながら再びクリトリスに吸い付くと、

「ああ、いきそうよ、待って……」

美雪が言い、早々と果てるのを惜しむように身を起こしてきた。やはりレズが主流の彼女は、舐められるだけですぐ昇り詰めてしまうようだ。

光一も股間から離れて仰向けになると、入れ替わりに身を起こした美雪が彼の股間に顔を迫らせてきた。

そして彼が自分で両脚を浮かせ、両手で谷間を広げると、美雪も厭わず肛門にチロチロと舌を這わせてくれた。

ヌルッと舌先が潜り込むと、

「く……、気持ちいい……」

光一は妖しい快感に呻き、美人教師の舌先を肛門でモグモグと締め付けた。

美雪も中で舌を蠢かせてから、彼が脚を下ろすと陰嚢にしゃぶり付き、充分に舌を這わせてくれた。

さらにせがむように幹を上下させると、美雪も前進してペニスの裏側をゆっくり舐め上げ、粘液が滲みはじめた尿道口をチロチロと舐め回し、そのままスッポリと喉の奥まで呑み込んでいった。

「アア……」

光一は快感に喘ぎ、美雪の口の中でヒクヒクと幹を震わせた。

彼女も幹を丸く締め付けて吸い、熱い鼻息で恥毛をそよがせながら、クチュクチュと舌をからめてくれた。

たちまち彼自身は生温かな唾液にまみれ、絶頂を迫らせていった。

「い、いきそう、入れたい……」

光一が言うと、美雪もスポンと口を離して顔を上げると、前進して跨がってきた。そして先端に割れ目を押し当てると、息を詰めてゆっくり腰を沈み込ませていった。

彼自身は、ヌルヌルッと滑らかな肉襞の摩擦を受け、根元まで膣口に嵌まり込んだ。美雪は完全に座り込み、股間を密着させると、

「ああッ……、いい気持ち……」

顔を仰け反らせて喘ぎ、グリグリと擦り付けてきた。

光一も温もりと感触を味わい、やがて両手を伸ばして抱き寄せると、両膝を立てて尻を支えた。

美雪が身を重ねてくると、彼は潜り込むようにして左右の乳首を含み、舌を這わせながら顔中で膨らみの感触を味わった。

両の乳首を充分に味わうと、彼は腋の下にも鼻を埋め込み、甘ったるい汗の匂いに噎せ返りながら、膣内の幹を歓喜にヒクヒクと震わせた。

すると美雪が上から顔を寄せ、ピッタリと唇を重ねてきた。

舌が潜り込むと、彼女はチロチロと蠢かせながら、徐々に腰を動かしはじめていった。

光一は、美人教師の唾液をすすり、滑らかに蠢く舌を味わいながらズンズンと股間を突き上げた。

「ンン……」

美雪が熱く呻き、彼の鼻腔を湿らせながら収縮と潤いを増していった。

光一が突き上げを強めると、

「ああ、いきそうよ……」

美雪が口を離して喘ぎ、次第に激しく腰を動かしはじめた。

光一もリズムを合わせて股間を突き上げ、湿り気ある花粉臭の吐息で鼻腔を刺激されながら高まった。

堪らずに彼は、メガネ美女の息の匂いと肉襞の摩擦に昇り詰めてしまった。

「い、いく……！」

快感に口走り、ありったけの熱いザーメンをドクンドクンと勢いよくほとばしらせると、

「か、感じる……、アアーッ……！」

噴出を受けた美雪も声を上げ、ガクガクと狂おしいオルガスムスの痙攣を開始したのだった。激しく貪欲な収縮と締め付けで、何やら彼は全身まで吸い込まれそうな快感に包まれた。

光一は快感を嚙み締め、心置きなく最後の一滴まで出し尽くし、徐々に突き上げを弱めていくと、

「ああ……、良かったわ……」

美雪も満足げに声を洩らし、強ばりを解いてグッタリともたれかかってきた。

光一も力を抜き、まだ息づく膣内でヒクヒクと過敏に幹を震わせた。

そして美人教師の重みと温もりを受け止め、熱く濃厚な吐息を間近に嗅いで悩ましく鼻腔を満たしながら、うっとりと快感の余韻を味わったのだった。

重なったまま荒い息遣いを混じらせていたが、やがて呼吸を整えると、そろそろと美雪が身を起こし、股間を引き離してティッシュを手にした。

彼女は割れ目を拭きながら屈み込むと、愛液とザーメンにまみれた亀頭にしゃ

ぶり付き、舌で綺麗にしてくれた。

「あう、も、もういいです……」

光一は腰をよじって降参したが、まだ時間も早いので、もう一回出来るだろうと思うとムクムクと回復してきた。

すると美雪は、スポンと口を引き離し、

「じゃシャワー浴びて休憩しましょう」

顔を上げて言ったので、まだまだ彼女も第二回戦をする気になっているようだった。

光一は、二度目はどんな行為で快楽を得ようかと思ううち、すぐにも元の硬さと大きさを取り戻してしまったのだった。

4

二月に入り自由登校になると、とにかく光一は一度上京することにした。

本当は、いつまでも蘭子のいるこの町にいたい気持ちは大きいのだが、仕方がない。進学を止め、ここに残って働くなどというのは、蘭子の気持ちに反することだろう。

光一は、日帰りのつもりで朝早くにアパートを出ると特急列車に乗り、車窓を眺めながら東京に向かった。

途中で乗ってくる乗客が横を通るたび、彼はその心根を読み取ろうとしてみたが、すでに何も読めなくなっていた。

やはり借り物の能力は、期限があるのかも知れない。

あるいは蘭子から離れると、効力が消え去ってしまうのだろう。

光一は、早く戻って蘭子に会い、体液や匂いを吸収して観音力をもらいたいと思った。

そして東京に着き、彼は山手線に乗り換えて大学へ行き、入学に関する手続きをスムーズに終えた。

学舎を見回し、ここで四年間、新たな思い出を作るのだろうと思い、近くの不動産屋に立ち寄った。すると、卒業で部屋を引き払うという絶好のタイミングで格安の良い部屋が見つかったのだ。

六畳一間にキッチンとバストイレ、近くなので同行して別の空室を見せてもらい、大学にも徒歩で行けるので光一はすぐに決めた。当の部屋は月末に明け渡すということだが同じ造りなので気に入った。

来月からの契約を済ませてから、近くのファミレスで遅めの昼食を取りながら新居の住所を蘭子や親にメールした。

蘭子からは、すぐに、

「良かったわね。これで私も安心」

という返信が来て、やがて彼はファミレスを出た。

特に東京で見て回りたいところもない。

いや、蘭子と出会っていなかったら、あちこち回ったかも知れないが、今は少しでも早く戻って蘭子に会いたかったのだ。何といっても、会える日数はどんどん減っていくのである。

光一は東京に戻って特急列車に乗り、一路北関東へと向かった。

そして陽が傾く頃に希望ヶ丘に帰ると、時間を知らせておいたのですぐに蘭子から着信が入った。

「そろそろ帰宅なら、行ってもいいかしら」

そう書かれていたので、彼は嬉々としてOKの返信をし、アパートに戻ると手早くシャワーと歯磨きを済ませておいた。

間もなくドアがノックされ、いそいそと彼は蘭子を招き入れた。
一、二年の授業を終えて来たので、彼女はいつものスーツ姿だ。
「東京へ行って疲れたでしょう」

「いえ、入学手続きも新居の契約も、実にスムーズでしたから」

言われて彼は答え、ふんわり漂う甘い匂いにムクムクと痛いほど股間が突っ張ってしまった。

「あれから、完全にスーパー建設は中止になって、カジオも解散となったわ」

蘭子が椅子に座り、その後の報告をしてくれた。

「そうですか、商店街の人たちもほっとしたと思います」

「父親に撃たれた真治も命は取り留めたけど重症で、長く入院するらしいし、社長やその他の連中も逮捕。不良グループも中野教諭への傷害を自供して逮捕、卒業間際だけど全員が退学」

「はい、クラスも、校長や先生方も安心したようです」

「カジオから賄賂を受け取っていた署の幹部や市議会の面々も、厳しく追及されて間もなく処分されるでしょう」

「そう、あの刑事が言ったように町が綺麗になりますね」

光一は答えながら、大体の話は小夜子から聞いていたので、話が済むと気が急くように淫気を前面に出してしまった

「あの、脱いでもいいですか」

「ええ」

言うと蘭子も立ち上がり、服を脱ぎはじめてくれた。

光一は手早く全裸になり、先にベッドに横になって待った。

蘭子もためらいなく脱いでゆき、最後の一枚を下ろすと、一糸まとわぬ姿になって添い寝してくれた。

「ああ、嬉しい……」

光一は言い、甘えるように腕枕してもらった。

腋の下に顔を埋め込むと、そこは生ぬるくジットリと湿り、何とも甘ったるいミルクのような汗の匂いが濃厚に沁み付いて鼻腔を搔き回した。

彼は胸を満たしながら目の前で息づく乳房に手を這わせ、やがてチュッと乳首に吸い付いて舌で転がした。

「アア……」

蘭子は熱く喘ぐと、仰向けの受け身体勢になってくれ、彼も上からのしかかっ

ていった。

左右の乳首を交互に含んで舐め回しては、張りのある形良い膨らみを顔中で味わった。もう片方の腋にも鼻を埋めて濃厚な体臭を貪り、やがて滑らかな肌を舌でたどっていった。

臍を探り、張り詰めた下腹に顔を押し付けて弾力を味わい、腰からスラリとした脚を舐め降り、足裏まで行った。

踵から土踏まずを舐め、形良く揃った指の間に鼻を押し付け、蒸れた匂いで鼻腔を刺激されながら、汗と脂に湿った指の股をしゃぶった。

「く……」

蘭子もビクリと反応して呻き、彼は両足とも味と匂いが薄れるまで貪り尽くしてから顔を上げた。

「じゃうつ伏せに」

言うと蘭子もすぐにゴロリと寝返りを打ち、マリア観音の背中と丸い尻を露わにさせた。

光一は踵からアキレス腱、脹ら脛から汗ばんだヒカガミを舐め上げ、太腿から尻の丸みをたどると、腰から滑らかな背中に舌を這わせていった。

何度見ても見事なタトゥーだ。上気したマリア観音が、悶えはじめた蘭子とともに息づいている。

彼はマリア観音に唇を重ね、その周囲にも舌を這わせると、滑らかな舌触りとともに淡い汗の味が感じられた。

よくぞ真治の刀で傷つかなかったものだ。

「アア……」

背中は感じるようで、蘭子は肩をすくめるようにクネクネと身悶え、顔を伏せて熱い息を弾ませた。

光一は肩まで行って髪に鼻を埋めて甘い匂いを嗅ぎ、搔き分けて耳の裏側の湿り気にも舌を這わせた。そしてうなじから背中を這い下り、脇腹にも寄り道して舌を這わせてから、形良い尻に戻ってきた。

うつ伏せのまま股を開かせて腹這い、彼は尻に顔を寄せて指で谷間を開いた。

薄桃色の可憐な蕾がひっそり息づき、細かな襞を収縮させている。

鼻を埋め込むと、顔中に弾力ある双丘が密着し、蕾に籠もる蒸れた匂いが鼻腔をくすぐってきた。

充分に嗅いでから舌を這わせ、ヌルッと潜り込ませて滑らかな粘膜を探ると、

「あう……」

蘭子が小さく呻き、キュッときつく肛門で舌先を締め付けてきた。

光一は舌を出し入れさせるように蠢かせてから、顔を上げ、

「じゃ仰向けに」

言うと蘭子も素直に再び寝返りを打ち、仰向けになってくれた。

彼は片方の脚をくぐると、白くムッチリした内腿を舐め上げ、熱気と湿り気の籠もる股間に迫った。

茂みの下の方は愛液の雫を宿し、指で花びらを広げると、微かにクチュッと湿った音がして、大量の愛液でヌラヌラと潤う柔肉が丸見えになった。

花弁状に襞の入り組む膣口が濡れて息づき、光沢ある真珠色のクリトリスも、愛撫を待つようにツンと突き立っていた。

もう堪らず、吸い寄せられるように顔を埋め込み、彼は柔らかな恥毛に鼻を擦りつけ、隅々に蒸れて籠もった汗とオシッコの匂いで胸を満たした。

（いい匂い……）

嗅ぎながら強く思うと、その心根を読み取ったように蘭子の内腿がキュッときつく彼の両頬を挟み付けてきた。

光一は悩ましい匂いで鼻腔を刺激されながら、舌を挿し入れて熱いヌメリを掻き回し、膣口の襞をクチュクチュと探った。そのまま味わうように、ゆっくり柔肉をたどってクリトリスまで舐め上げると、

「アアッ……！」

蘭子が熱く喘ぎ、ビクッと顔を仰け反らせた。

チロチロと舌先でクリトリスを刺激しては、溢れる愛液をすすり、彼が舐めながら目を上げると、乳房の間に仰け反る顔が見え、蘭子も激しく高まってきたようだった。

5

「待って、行きそうよ。今度は私が……」

蘭子が腰をくねらせて言い、身を起こしてきたので光一も舌を引っ込め、股間から這い出して仰向けになっていった。

すると蘭子が移動し、大股開きになった彼の股間に腹這いになり、顔を寄せてきた。そして彼女は自分から光一の脚を浮かせ、尻の谷間に舌を這わせると、ヌ

ルッと潜り込ませてくれた。

「あう……」

光一は妖しい快感に呻き、モグモグと肛門で美人教師の舌を味わった。

股間に熱い息が籠もり、中で舌が蠢くたび屹立したペニスがヒクヒクと上下して粘液を滲ませた。

ようやく脚が下ろされると、蘭子はそのまま陰嚢を舐め回し、睾丸を転がして温かな唾液にまみれさせた。

彼は下腹を小刻みに波打たせ、期待に幹を震わせた。

蘭子も前進して肉棒の裏側をゆっくり舐め上げ、尿道口の少し下の最も敏感な部分では、舌先がチロチロと左右に蠢いた。

そして粘液の滲む尿道口を舐め回し、丸く開いた口でスッポリと喉の奥まで呑み込んでいった。

幹を締め付けて吸い、熱い鼻息で恥毛をくすぐり、口の中ではクチュクチュと舌がからみつくと、たちまち彼自身は清らかな唾液にどっぷりと浸った。

「ああ、気持ちいい……」

光一は喘ぎ、幹を震わせて悶えた。

さらに蘭子が顔を上下させ、スポスポと滑らかな摩擦を開始したので、彼は急激に絶頂を迫らせていった。

「い、いきそう、入れたい……」

光一が危うくなって口走ると、蘭子もチュパッと口を離して身を起こした。

彼の心を読むまでもなく、女上位を望んでいるので蘭子も前進して股間に跨がり、先端に割れ目を押し付けてきた。

ヌメリに合わせて位置を合わせると、彼女も感触を味わうように息を詰め、ゆっくり腰を沈み込ませていった。

たちまち彼自身は、ヌルヌルッと滑らかに根元まで呑み込まれてゆくと、

「アアッ……！」

蘭子も顔を仰け反らせて喘ぎながら、ピッタリと股間を密着させてきた。

光一も肉襞の摩擦と締め付け、熱いほどの温もりと大量の潤いに包まれて幹をヒクつかせた。

チンピラが何人がかりでも敵わないスーパーヒロインを、いま自分だけが独占していると思うと、彼は誇らしさとともに限りない幸福感に包み込まれた。

光一が両手を伸ばして引き寄せると、蘭子も身を重ねてきたので、抱き留めた

彼は両膝を立てて尻を支えた。

胸に乳房が密着して心地よく弾み、恥毛が擦れ合い、コリコリする恥骨の膨らみも伝わってきた。

まだ腰は動かさず、蘭子は彼の肩に右手を回し、上からピッタリと唇を重ねてくれた。光一も唇の感触と唾液の湿り気を感じながら、そろそろと舌を伸ばして綺麗な歯並びを左右にたどった。

「ンン……」

蘭子が熱く呻いて彼の鼻腔を湿らせ、歯を開いて舌をからめてきた。

(唾を出して……)

心の中で思うと同時に、蘭子は大量の唾液を分泌させ、トロトロと口移しに注ぎ込んでくれた。光一は小泡の多いシロップを味わい、うっとりと喉を潤して酔いしれた。

こうして蘭子の吐息と唾液を吸収していると、また絶大な観音力が身の内に漲ってくる気がした。

そしてチロチロと執拗に舌をからめながら、徐々にズンズンと股間を突き上げはじめていくと、蘭子も合わせて腰を遣い、何とも心地よい摩擦を繰り返してくれた。

互いの動きが次第にリズミカルに一致すると、クチュクチュと湿った摩擦音が聞こえ、溢れた愛液が彼の肛門の方にまで生温かく伝い流れてきた。

「アア……、いい気持ち……」

蘭子が口を離して熱く喘ぐと、湿り気ある吐息が鼻腔を刺激してきた。今日も濃厚に甘酸っぱい果実臭が含まれ、光一は鼻腔を満たすだけでも急激に高まってきた。

すると蘭子も高まりながら、彼が思うことを全てしてくれたのだ。

頰にそっと歯を立てて刺激してくれ、唾液を垂らして舌で顔中に塗り付け、ヌルヌルにまみれさせてくれた。

唾液と吐息の匂いにもう堪らず、彼は心地よい摩擦の中で激しく昇り詰めてしまった。

「い、いく、気持ちいい……！」

大きな絶頂の快感に貫かれて口走ると同時に、熱い大量のザーメンがドクンドクンと勢いよくほとばしり、柔肉の奥深い部分を直撃した。

「あ、熱いわ……、アアーッ……！」

噴出を感じた途端にスイッチが入り、蘭子が声を上ずらせながらガクガクと狂おしいオルガスムスの痙攣を開始した。

収縮が最高潮になり、光一は激しすぎる快感に身悶えながら、心置きなく最後の一滴まで出し尽くしていった。

「ああ……」

光一はすっかり満足しながら声を洩らし、徐々に突き上げを弱めて力を抜いていった。

蘭子もいつしか肌の硬直を解き、グッタリと彼にもたれかかり熱い息遣いを繰り返すばかりになっていた。呼吸に合わせて膣内も収縮を続け、刺激された幹がヒクヒクと過敏に跳ね上がった。

「あう……」

蘭子も敏感になっているように呻き、幹の震えを押さえるようにキュッときつく締め上げた。光一は彼女の重みを受け止め、熱く甘酸っぱい吐息を間近に嗅ぎながら、うっとりと快感の余韻に浸り込んでいったのだった……。

――自由登校中、光一は室内の荷造りをしては、たまに学校に行き、合間を見ては小夜子と保健室で交わり、空いた教室で美雪とも快感を分かち合った。

もちろん蘭子とは校内でなく、落ち着いてやりたいので、都合の付くときはアパートに来てもらった。

そして二月も下旬に迫る頃、不動産屋からメールが来て、部屋が空いたからいつ来ても良いと言われた。

折しも、両親が上京して都内に一泊するというので、それに合わせて光一も主要な荷物を業者に運んでもらい、再び東京に出た。

運ばれた荷物を東京のアパートで受け取って片付けも済ませ、あとは卒業式を終えたら、その足で東京のアパートに移るつもりだった。

蘭子も春休みになれば古巣の大学にも顔を出すだろうから、そのときは都内で会えば良いと思った。

両親も今回は夫婦の小旅行と言いながら、やはり光一の卒業と入学を祝いに来てくれたのだろう。久々に会ってレストランで夕食を囲み、その夜は親子三人でビジネスホテルに泊まった。

翌日、昼食を済ませると両親と別れ、光一はまた希望ヶ丘に戻った。

明日から三月、そして明日はいよいよ卒業式だ。

それが終われば、アパートに残った最後の荷物を発送し、大家に挨拶をして身一つで上京すればいい。

光一は最後の夜を一人で過ごし、翌朝は最後の学生服を着て、アパートを出て登校した。

体育館では、下級生たちにより卒業式の準備が整いはじめている。

蘭子を探したが、姿が見えず、スマホも繋がらなくなっていた。

急に不安に駆られ、美雪や小夜子に訊いても知らないと言うので、光一は松岡校長に訊いてみた。

「大月先生はお辞めになったよ」

「え……？　どうして、どこへ行ったんです……」

光一は校長の言葉に愕然とし、目の前が真っ暗になる気がした。

「さあ。僅かの間だったけど、校内を掃除して去っていったのかもなあ……」

校長は言い、式典の準備で体育館に入っていった。

（そんな……、問題児や町の解決だけのために来たんだろうか……）

光一は絶望感に落ち込み、無駄と知りつつ何度もメールやラインをしてみたが蘭子には繋がらなかった。

あるいは、また問題の多い高校へでも転任してしまったのだろうか。

光一は慌てて小夜子や美雪を探して言うと、彼女たちも驚いたようにスマホを取り出して連絡しようとしたが、やはり無駄だった。

「卒業生は体育館へお入り下さい」

校内アナウンスがあり、仕方なく光一も体育館に入った。

やがて卒業式が始まった。もし真治たち不良たちがいたら、こんなにも厳かな式にはならなかったかも知れない。

（高校と、初恋からも卒業になるのか……）

もう蘭子に会えないなんて信じられず、卒業証書を受け取った光一は涙ぐんだが、周囲は彼が卒業を悲しんでいると思っているようだった。

本作品は書き下ろしです。

実業之日本社文庫　最新刊

実業之日本社文庫　最新刊

田中啓文
若旦那は名探偵 七不思議なのに八つある
おもろい事件、あらへんか？ 江戸の岡っ引きのもとで居候する大坂の道楽息子・伊太郎が驚きの名推理で犯人を追い詰める、人情&ユーモア時代ミステリ！
た66

堂場瞬一
大連合　堂場瞬一スポーツ小説コレクション
不祥事と交通事故。部員不足となって窮地に立つ、新潟県の二校の野球部が、連合チームを組んで甲子園をめざす！ 胸熱の高校野球小説！（解説・沢井 史）
と119

葉月奏太
ぼくの女子マネージャー
ボクシング部員の陽太にとって、女子マネージャー亜美は憧れの女。強くなり、彼女に告白したいと練習に励むが…。涙と汗がきらめく青春ボクシング官能！
は617

東川篤哉
野球が好きすぎて
アリバイは、阪神vs.広島戦!? 野球ファンが起こした珍事件の行方は……プロ野球界で実際に起きた出来事を背景に描く、爆笑&共感必至の痛快ミステリ！
ひ44

南 英男
断罪犯　警視庁潜行捜査班シャドー
非合法捜査チーム「シャドー」の面々を嘲笑う〝断罪人〟からの謎の犯行声明！ 美人検事殺害に続く標的は誰？ 緊迫の傑作警察ハード・サスペンス長編!!
み735

睦月影郎
淫ら美人教師　蘭子の秘密
北関東の高校へ赴任した蘭子。担任するクラスには不良達がいて、襲いかかってくるが……。美人教師が秘められた能力で、生徒や教師を虜にする性春官能。
む220

渋沢栄一・著／奥野宣之・編訳
抄訳　渋沢栄一『至誠と努力』――人生と仕事、そして富についての私の考え
地方の農民の子→幕臣→官僚→頭取→日本資本主義の父。なぜ彼はこんな人生を歩めたのか？ 史上最強のビジネスマン・渋沢栄一の思考法。（解説・北 康利）
し62

実業之日本社文庫　む 2 20

淫《みだ》ら美《び》人教師《じんきょうし》　蘭《らん》子《こ》の秘《ひ》密《みつ》

2024年6月15日　初版第1刷発行

著　者　睦《む》月影郎《つきかげろう》

発行者　岩野裕一
発行所　株式会社実業之日本社
〒107-0062　東京都港区南青山6-6-22 emergence 2
電話［編集］03(6809)0473［販売］03(6809)0495
ホームページ　https://www.j-n.co.jp/
DTP　ラッシュ
印刷所　大日本印刷株式会社
製本所　大日本印刷株式会社

フォーマットデザイン　鈴木正道（Suzuki Design）

ISBN978-4-408-55896-7（第二文芸）